GRANDES NOVELISTAS

Rosamunde Pilcher

EL TIGRE DORMIDO

Traducción de
Carmen Bordeu de Smith Estrada

Rosamunde Pilcher

EL TIGRE DORMIDO

EMECÉ EDITORES

Diseño de tapa: *Eduardo Ruiz*
Título original: *Sleeping Tiger*
Copyright © *1967 by Rosamunde Pilcher*
© *Emecé Editores, S.A., 1994.*
Alsina 2062 - Buenos Aires, Argentina.
Primera edición.
Impreso en Verlap, S.A.,
Vieytes 1534, Buenos Aires, junio de 1994.

IMPRESO EN LA ARGENTINA / PRINTED IN ARGENTINA
Queda hecho el depósito que previene la ley 11.723.
I.S.B.N.: 950-04-1398-1
8.895

1

El vestido de novia era blanco cremoso, con un tinte rosado de fondo, como el interior de un caracol. Estaba hecho de una seda muy armada y fina y barría la alfombra roja mientras Selina avanzaba. Cuando se volvió, el dobladillo permaneció donde estaba, de manera que sintió que el vestido la envolvía en un paquete lujoso.

La señorita Stebbings comentó con voz aguda y elegante:

—¡Oh!, no podría haber elegido uno más bonito. Le queda de maravillas.

Su pronunciación era bien inglesa.

—¿Y qué le parece el largo?

—No sé... ¿usted qué opina?

—Acortémoslo un poco... señora Bellows.

La señora Bellows se adelantó desde el rincón donde había estado parada esperando ser necesitada. La señorita Stebbings llevaba un vestido de *crêpe* drapeado, pero la señora Bellows estaba enfundada en una bata negra de nailon y sus zapatos tenían un sospechoso aspecto de chinelas. Tenía un alfiletero de terciopelo sujeto alrededor de la muñeca con un elástico y se arrodilló, levantó el ruedo y lo prendió con los alfileres. Selina observaba en el espejo. No estaba segura de coincidir con la señorita Stebbings en que el vestido le quedaba "de maravillas". La hacía demasiado flaca (¡no podía ser que hubiera perdido más peso!) y el color cálido resaltaba su palidez. Se le había salido el lápiz labial y se le veían las orejas. Trató de tapárselas con el cabello, pero sólo logró desacomodar la corona de satén que la señorita Stebbings le había colocado en lo alto de la cabeza. Cuando alzó las manos para volverla a su sitio, estropeó el ajuste de la falda. La señorita Stebbings respiró hondo con los dientes apretados, como si una terrible catástrofe estuviera a punto de ocurrir.

—Lo siento —se disculpó Selina.

La señorita Stebbings esbozó una sonrisa rápida para demostrar que no tenía importancia y acotó de manera casual:

—¿Y cuándo es el feliz acontecimiento?

—Calculamos que dentro de un mes... creo.

—¿No será una boda grande...?

—No.

—Por supuesto que no... dadas las circunstancias.

—En realidad, no quiero un vestido de novia. Pero Rodney... el señor Ackland... —Vaciló de nuevo y luego lo dijo: —Mi prometido... —La señorita Stebbings sonrió con una dulzura nauseabunda.

—Pensó que debía tener uno. Dijo que mi abuela hubiera querido que me casara de blanco...

—Desde luego que sí. ¡Tiene toda la razón! Y creo que una boda íntima y discreta, con la novia de blanco, posee un encanto especial. ¿No habrá damas de honor?

Selina sacudió la cabeza.

—Encantador. Sólo ustedes dos. ¿Terminó, señora Bellows? Bien. ¿Qué le parece? Camine uno o dos pasos. —Selina obedeció. —Así está mejor. No podemos arriesgarnos a que tropiece.

Selina se meneó ligeramente dentro de la tafeta susurrante.

—Lo siento muy suelto.

—Creo que está adelgazando —señaló la señorita Stebbings mientras tiraba de la tela para acomodarla.

—Tal vez vuelva a engordar antes de la boda.

—Lo dudo. Será mejor ajustarlo un poco, por si acaso.

La señora Bellows se puso de pie y colocó unos alfileres en la cintura. Selina giró y dio un par de pasos más. Finalmente, le bajaron el cierre del vestido, se lo quitaron con cuidado por la cabeza y la señora Bellows se lo llevó sobre un brazo.

—¿Cuándo estará listo? —inquirió Selina mientras se ponía el suéter.

—En dos semanas, creo —respondió la señorita Stebbings—. ¿Se ha decidido por esta coronita?

—Sí, supongo que sí. Es bastante sencilla.

—Se la entregaré unos días antes para que pueda mostrársela a su peinadora. Creo que le quedaría bien que se recogiera el cabello y lo sujetara con la coronita...

Selina tenía una obsesión con sus orejas, a las que consideraba grandes y feas, pero contestó sin convicción:

—Sí. —Tomó su falda.

—¿Ya pensó en los zapatos, señorita Bruce?

—Sí, compraré unos blancos. Le agradezco mucho, señorita Stebbings.

11

—No es nada. —La señorita Stebbings sostuvo la chaqueta del traje de Selina y la ayudó a ponérsela. Advirtió que la joven llevaba las perlas de su abuela, dos sartas que se aseguraban con un broche de zafiros y diamantes. También notó el anillo de compromiso, un inmenso zafiro estrellado engastado en perlas y diamantes. Ansiaba comentar sobre él, pero no quería parecer curiosa o grosera. En cambio, mantuvo un silencio educado y observó a Selina recoger sus guantes. Luego hizo a un lado la cortina de brocado del probador y la acompañó hasta la puerta.

—Hasta pronto, señorita Bruce. Ha sido un verdadero placer.

—Gracias. Hasta pronto, señorita Stebbings.

Bajó en el ascensor y atravesó varias secciones. Por fin, llegó a las puertas giratorias y salió a la calle. Después del interior demasiado calefaccionado de la tienda, el día de marzo parecía frío. En lo alto, el cielo estaba azul y adornado con nubes blancas y raudas. Cuando Selina se acercó al borde de la acera para llamar un taxi, el viento la azotó. Le voló el pelo sobre la cara, le levantó la falda y le arrojó tierra en un ojo.

—¿Adónde? —preguntó el conductor, un hombre joven con vistosa gorra a cuadros. Parecía como si hiciera correr galgos en su tiempo libre.

—Al Bradley, por favor.

—¡Allá vamos!

El taxi olía a desinfectante perfumado con un dejo a cigarros viejos. Selina se quitó la tierra del ojo y bajó la ventanilla. Los narcisos florecían en el parque, había una niña en un caballo marrón y los árboles estaban cubiertos de verde, las hojas aún no contaminadas por el hollín o la suciedad de la ciudad. No era un día para estar en Londres. Era un día para estar en el campo, para trepar una colina o ir al mar. Las calles bullían con el tránsito de la hora del almuerzo: hombres de negocios y damas de compras, mecanógrafas, jóvenes bohemios, hindúes y enamorados con las manos enlazadas y riendo al viento. Una mujer vendía violetas de una carretilla junto a la acera y hasta el anciano desaliñado que recorría la cuneta entre un par de cartelones de anuncios colgados del pecho y la espalda llevaba con gallardía un narciso en la solapa de su sobretodo demasiado grande para él.

El taxi tomó por la calle Bradley y se detuvo frente al hotel. El portero se acercó a abrir la puerta para que Selina bajara. La conocía, puesto que había conocido a su abuela, la anciana señora Bruce. Selina iba a almorzar al Bradley con su abuela desde que era una niñita. Ahora la señora Bruce había muerto y Selina llegaba sola, pero el portero todavía la reconocía y la llamaba por su nombre.

—Buenos días, señorita Bruce.

—Buenos días. —Selina abrió su bolso para buscar algo de cambio.

—Es un día hermoso.

—Demasiado viento. —Pagó al conductor, le agradeció y se volvió hacia la puerta. —¿Ya llegó el señor Ackland?

—Sí, hace cinco minutos.

—¡Oh, Dios, llego tarde!

—Es bueno hacerlos esperar un poco.

El hombre hizo girar la puerta y Selina entró en

el lujoso y cálido interior del hotel. Había olor a cigarros frescos, a comida deliciosa y caliente, a flores y perfume. Personas elegantes estaban sentadas en grupos pequeños y Selina se sintió desprolija y desarreglada por el viento. Estaba a punto de escabullirse hacia el baño de damas cuando el hombre que estaba sentado solo cerca del bar la vio, se puso de pie y se acercó a ella. Era alto y apuesto, de unos treinta y cinco años, vestido con el uniforme del hombre de negocios: traje gris oscuro, camisa de rayas finas y corbata de regimiento inofensiva. Su rostro sin arrugas poseía buenas facciones y tenía las orejas achatadas contra la cabeza. El cabello castaño tupido y lacio se deslizaba por la nuca hasta tocar el borde impecable del cuello de la camisa. La cadena de un reloj de oro colgaba a través del chaleco de buen corte. Los gemelos y el reloj también eran de oro. Parecía lo que era: acomodado, bien educado, de maneras refinadas y un tanto pomposo.

—Selina —llamó y de esa manera interrumpió con brusquedad la huida al baño. Selina se volvió y lo vio.

—Oh, Rodney...

Titubeó. Él la besó y añadió:

—Llegas tarde.

—Lo sé. Lo siento. Había mucho tránsito.

Los ojos de él, aunque bastante amables, trasmitían lo que pensaba sobre el aspecto de ella: que era espantoso. Selina estaba por decir "Iré a empolvarme la nariz" cuando Rodney dijo:

—Ve a empolvarte la nariz. —Eso la exasperó. Titubeó un segundo mientras se preguntaba si explicar o no que se disponía a ir al baño cuando él

14

la interrumpió, pero decidió que no valía la pena. En cambio sonrió, y Rodney le devolvió la sonrisa. Al parecer de completo acuerdo, se separaron momentáneamente.

Cuando ella regresó, con el cabello castaño dorado arreglado y cepillado, la nariz empolvada y el lápiz labial fresco, Rodney la esperaba sentado en un pequeño sofá curvo de satén. Frente a él, sobre una mesita, estaban su martini y el vaso de jerez seco que siempre pedía para Selina. Ella tomó asiento a su lado.

—Querida —comenzó Rodney—, antes de que hablemos de otra cosa debo decirte que lo de esta tarde queda cancelado. Tengo que ver a un cliente a las dos, un tipo bastante importante. No te molesta, ¿verdad? Podemos dejarlo para mañana.

El plan había sido ir al departamento nuevo que Rodney había alquilado y en el que pensaban iniciar la vida de casados. Estaba recién pintado y los trabajos de plomería y electricidad ya estaban terminados. Sólo faltaba tomar medidas, elegir alfombras y cortinas y decidir los colores.

Selina respondió que por supuesto no le molestaba. Mañana era tan conveniente como hoy. Por dentro, se sintió aliviada por esa gracia de veinticuatro horas antes de verse forzada a decidirse acerca del color de la alfombra del cuarto de estar y los méritos alternativos del chintz y el terciopelo.

Rodney sonrió de nuevo, reconfortado por la aquiescencia de ella. Le tomó la mano y movió el anillo de compromiso de modo que el zafiro quedó en el centro de su fino dedo.

—¿Y qué hiciste esta mañana? —inquirió.

15

Para una pregunta tan directa, Selina tenía una respuesta esencialmente romántica.

—Compré mi vestido de novia.

—¡Querida! —Estaba encantado. —¿Adónde fuiste?

Selina se lo dijo.

—Sé que suena poco imaginativo, pero la señorita Stebbings... está a cargo del departamento de diseño de vestidos. Mi abuela iba siempre allí y pensé que sería mejor recurrir a alguien conocido. De lo contrario, seguro que me equivocaría y compraría cualquier cosa.

—¿Por qué harías eso?

—Oh, ya sabes qué débil soy en las tiendas; me venden todo.

—¿Cómo es el vestido?

— Bueno, es blanco, una especie de blanco con un toque cremoso y rosado. No puedo describirlo...

—¿De manga larga?

—¡Oh, sí!

—¿Largo o corto?

¡Largo o corto! Selina se volvió y lo miró con fijeza.

—¿Largo o corto? ¡Largo, por supuesto! Oh, Rodney, ¿crees que debí haber elegido uno corto? Nunca se me ocurrió comprar un vestido de novia corto. Ni siquiera sabía que existían.

—No te preocupes tanto, querida.

—Tal vez debí haber elegido uno corto. En una boda íntima, un vestido largo lucirá ridículo, ¿no?

—Puedes cambiarlo.

—No, no puedo. Me lo están arreglando.

—Entonces... —El tono de Rodney era tranquilizador. —En ese caso, no importa.

—¿No crees que pareceré una tonta?

—Desde luego que no.

—Es muy lindo. De veras.

—No lo dudo. Y ahora tengo noticias para ti. Hablé con el señor Arthurstone y ha aceptado llevarte al altar.

—¡Oh!

El señor Arthurstone era el socio principal de Rodney, un anciano solterón muy obstinado. Sufría de artritis en las rodillas y la perspectiva de recorrer la nave... sosteniendo al señor Arthurstone antes que ir sostenida por él... era desalentadora.

Rodney prosiguió, con las cejas enarcadas.

—Querida, muéstrate un poco más complacida.

—Oh, lo estoy. Es tan amable de su parte ofrecerse. ¿Pero te parece necesario que alguien me lleve? ¿No podemos ir tú y yo a la iglesia, recorrer juntos la nave y casarnos?

—Eso sería inaceptable.

—Pero casi no conozco al señor Arthurstone.

—Claro que lo conoces. Ha manejado los asuntos comerciales de tu abuela durante años.

—Pero eso no es lo mismo que conocerlo.

—Sólo tienes que caminar por la nave con él. Alguien debe llevarte.

—No veo por qué.

—Querida, así es como se hacen las cosas. Y no hay nadie más. Lo sabes.

Y, por supuesto, Selina lo sabía. Ni padre, ni abuelo, ni tío, ni hermano. Nadie. Sólo el señor Arthurstone.

Suspiró profundamente.

—Supongo que sí.

Rodney le palmeó la mano.

17

—¡Ésa es mi chica! Ahora, tengo una sorpresa para ti. Un regalo.

—¿Un regalo? —Estaba intrigada. ¿Era posible que la alegría primaveral de ese brillante día de marzo también hubiera afectado a Rodney? ¿Que hubiera sido inducido... mientras iba hacia el Bradley para almorzar con ella... a entrar en un local tentador para comprarle una frivolidad inútil y así poner un toque de romanticismo al día? —¿En serio, Rodney? ¿Dónde está?

(¿En el bolsillo? Los regalos costosos vienen en paquetes pequeños.)

Rodney estiró un brazo detrás de él para tomar un paquete envuelto con papel de librería e hilo. Era obvio que contenía un libro.

—Toma.

Selina intentó disimular su desencanto. Era un libro. Esperaba que fuera gracioso.

—¡Oh, un libro!

Era pesado, y la ilusión de que la hiciera reír se desvaneció. Debía de ser un volumen que abordaba problemas sociales de actualidad de manera inteligente, instructiva, y que llevaba a la reflexión. O tal vez un libro de viajes, con relatos de testigos oculares sobre las costumbres extravagantes de alguna tribu de América Central. Rodney intentaba mejorar la mente de Selina y lo afligía mucho que ella demostrara una inclinación tan acentuada hacia las revistas, libros de bolsillo y novelas policiales.

Lo mismo sucedía en otros campos de la cultura. Selina amaba el teatro, pero no podía disfrutar de una prueba de resistencia de cuatro horas acerca de dos personas que vivían en tachos de basura. Del mismo modo, era afecta al ballet, pero prefería que sus bailarinas usaran tutús, y el vals de Tchaikovsky, y su apreciación musical no incluía conciertos solistas de violín que invariablemente le dejaban los dientes como si hubiera mordido una fruta verde.

—Sí —contestó Rodney—. Lo leí y me impresionó tanto que te compré un ejemplar.

—¡Qué amable! —Levantó el paquete en alto.

—¿De qué trata?

—Es sobre una isla en el Mediterráneo.

—Suena bien.

—Es una especie de autobiografía, supongo. Este sujeto fue a vivir allí hace seis o siete años. Acondicionó una casa y se involucró mucho con la gente local. Sus comentarios sobre la forma de vida española me parecieron muy equilibrados, muy sensatos. Te gustará, Selina.

—Sí, estoy segura de que sí —replicó y apoyó el paquete junto a ella en el sofá—. Muchas gracias por comprármelo, Rodney.

Después de almorzar, de pie uno frente al otro, se despidieron en la acera. Rodney con su sombrero hongo inclinado hacia adelante sobre la nariz y Selina con el paquete nuevo y el cabello volándosele sobre el rostro.

—¿Qué harás esta tarde? —preguntó él.

—Oh, no lo sé.

—¿Por qué no te corres hasta Woollands y tratas de decidirte sobre las cortinas? Si compras algo, podríamos llevarlo al departamento mañana a la tarde.

—Sí. —Parecía razonable. —Es una buena idea.

Rodney esbozó una sonrisa alentadora. Selina se la devolvió.

—Bueno, hasta luego entonces. —No la besó en la calle.

—Hasta luego, Rodney. Gracias por el almuerzo. Y por el regalo —recordó agregar.

Él hizo un gesto con la mano para indicar que ni el almuerzo ni el regalo tenían importancia. Luego, con una sonrisa final, se volvió y se alejó. Caminaba utilizando el paraguas como bastón y se abría paso con rapidez y habilidad entre el gentío en la acera. Ella aguardó, casi esperando que se volviera para un último saludo, pero no lo hizo.

Sola, Selina suspiró. El día era ahora más cálido. Ya no había nubes y la idea de sentarse en una tienda sofocante a elegir una tela para las cortinas de la sala de estar le resultaba insoportable. Caminó a la deriva hacia Piccadilly, cruzó la calle, a riesgo de su vida, y entró en el parque. Los árboles estaban más hermosos que nunca y el césped asomaba nuevo y verde, ya no marrón y deslucido como en el invierno. Cuando caminó sobre él, despidió un olor a pisoteado y fresco, como un prado de verano. Había manchas de azafrán amarillo y púrpura, y sillas, en pares, bajo los árboles.

Fue a sentarse en una de las sillas. Se reclinó con las piernas extendidas y el rostro vuelto hacia el sol. El calor le provocó enseguida un hormigueo en la piel. Se enderezó, se quitó la chaqueta y se arremangó el suéter. "Puedo ir a Woollands mañana por la mañana", pensó.

Una niña pasó en un triciclo. Su padre y un perrito caminaban detrás. La pequeña tenía medias largas rojas, un vestido azul y una cinta negra en el cabello. El padre era bastante joven y llevaba un suéter de cuello volcado y una chaqueta de lana.

Cuando la niña frenó el triciclo, se bajó y se acercó al césped para oler los azafranes, él no intentó detenerla. La observó con una mano en el triciclo para evitar que se alejara rodando y sonrió cuando la pequeña se inclinó y desplegó una encantadora extensión de medias rojas.

—No tienen olor —dijo la niña.

—Ya lo sabía —respondió su padre.

—¿Por qué no tienen olor?

—No lo sé.

—Creí que todas las flores tenían olor.

—La mayoría lo tiene. Ven, vamos.

—¿Puedo recogerlas?

—Yo no lo haría.

—¿Por qué no?

—A los cuidadores del parque no les gusta.

—¿Por qué no?

—Es una regla.

—¿Por qué?

—Bueno, a otras personas les gusta mirarlas. Ahora ven.

La niña obedeció, se trepó de nuevo a su triciclo y continuó pedaleando por el sendero con su padre detrás.

Selina contempló la escena, dividida entre el placer y la añoranza. Toda la vida había presenciado y escuchado a hurtadillas las vidas y conversaciones de otras familias, otros niños, otros padres. Las actitudes entre ellos le habían inspirado interminables especulaciones. De pequeña, cuando iba al parque con Agnes, su niñera, solía mantenerse al margen de los juegos de otros niños, ansiando ser invitada a participar pero demasiado tímida para pedirlo. No la invitaban con frecuencia. Su ropa era siempre demasiado pulcra y Agnes, que se sentaba a tejer en un banco cercano, podía lucir muy amenazante. Y si la niñera decidía que existía peligro de que Selina se mezclara con niños a quienes la anciana señora Bruce sin duda consideraría "inconvenientes", entonces tomaba su ovillo de lana, clavaba las agujas en él y anunciaba que era hora de regresar a Queen's Gate.

Allí eran todas mujeres... un pequeño mundo femenino regido por la señora Bruce. Agnes, otrora su criada, la señora Hopkins, la cocinera, y Selina conformaban la totalidad de sus súbditos obedientes. Prácticamente ningún hombre había entrado en la casa, excepto el señor Arthurstone, el abogado de abuela, o en años más recientes, Rodney Ackland, en representación del señor Arthurstone. Cuando alguno lo hacía... para arreglar un caño, realizar algún trabajito de pintura o leer el medidor... Selina lo acosaba invariablemente con preguntas. ¿Era casado? ¿Tenía hijos? ¿Cómo se llamaban sus hijos? ¿Adónde iban de vacaciones? Era una de las pocas cosas que enojaban a Agnes.

—¿Qué diría tu abuela si te oyera... distrayendo al hombre de su trabajo?

—No lo distraía. —En ocasiones, Selina podía ser obstinada.

—¿Para qué quieres hablar con *él?*

No podía contestar porque no comprendía por qué era tan importante. Pero nadie hablaba de su padre. Jamás se lo mencionaba. Selina ni siquiera sabía su nombre, dado que la señora Bruce era la madre de su madre y Selina había adoptado su apellido.

En una oportunidad, indignada por algún motivo,

había declarado sin ambages:

—Quiero saber dónde está mi padre. ¿Por qué no tengo un padre? Todo el mundo tiene uno.

Le habían respondido, con frialdad pero amablemente, que estaba muerto.

Selina iba a la escuela dominical con regularidad.

—¿Quieres decir que se fue al cielo?

La señora Bruce había tirado de un nudo fastidioso en su lana de tapicería. La idea de Ese Hombre asociado con los ángeles era intolerable, pero su disciplina religiosa era fuerte y no estaría bien desilusionar a la niña.

—Sí —replicó.

—¿Qué le pasó?

—Lo mataron en la guerra.

—¿Cómo que lo mataron? ¿Cómo murió? —(No podía imaginar nada más horripilante que ser atropellado por un ómnibus.)

—Nunca lo supimos, Selina. En realidad, no podemos decírtelo. Ahora... —La señora Bruce miró su reloj con una expresión que indicaba que la conversación había terminado. —Ve a buscar a Agnes y dile que es hora de tu paseo.

Agnes, al ser abordada, se mostró un poco más comunicativa.

—Agnes, mi padre está muerto.

—Sí —contestó la mujer—. Lo sé.

—¿Cuánto hace que está muerto?

—Desde la guerra. Desde mil novecientos cuarenta y cinco.

—¿Alguna vez me vio?

—No. Murió antes que tú nacieras.

Eso era desalentador.

—¿*Tú* lo viste alguna vez, Agnes?

—Sí —admitió de mala gana la niñera—. Cuando tu madre estaba comprometida con él.

—¿Cómo se llamaba, Agnes?

—Bueno, no puedo decirte eso. Se lo prometí a tu abuela. No quiere que lo sepas.

—Pero, ¿era simpático? ¿Era apuesto? ¿De qué color era su pelo? ¿Cuántos años tenía? ¿Te caía bien?

Agnes, que también era una mujer de elevados principios, respondió a la única pregunta que podía contestar con honestidad.

—Era muy buen mozo. Bueno, ya es suficiente. Apúrate, Selina, y no arrastres los pies. Pelarás las puntas de tus zapatos nuevos.

—Me gustaría tener un padre —comentó Selina y, ya entrada la tarde, pasó media hora observando de pie a un padre y su hijo que hacían navegar un yate a escala en el Estanque Redondo. Y todo el tiempo se acercaba más y más con la esperanza de escuchar a hurtadillas su conversación.

Encontró la fotografía cuando tenía quince años. Era un miércoles londinense húmedo y deprimente. No había nada que hacer. Era el día libre de Agnes y la señora Hopkins estaba sentada con sus piernas artríticas en un escabel, inmersa en *People's Friend*. Abuela tenía una partida de bridge. Voces apagadas y el olor de cigarrillos caros se colaban desde el interior de la sala de estar con las puertas cerradas. ¡Nada que hacer! Selina, que merodeaba inquieta, entró en el cuarto de huéspedes, contempló la vista por la ventana, hizo unas muecas de estrella de cine en el espejo triple y estaba a punto de marcharse cuando advirtió los libros en el pequeño armario entre las dos camas. Se le ocurrió que tal vez encontraría un libro que nunca había leído. Con esa idea en mente, se arrodilló entre las camas y deslizó el índice por los títulos. Se detuvo en *Rebeca*. Una edición de la época de la guerra, con sobrecubierta amarilla. Extrajo el libro y lo abrió. Una fotografía cayó de las páginas de impresión compacta. La fotografía de un hombre. Selina la recogió. Un hombre de uniforme. De cabello muy oscuro, con una hendidura en el mentón, cejas irregulares y ojos negros risueños a pesar de que el rostro poseía un aire solemne apropiado. Era un soldado, vestido con esmero y bien abotonado, con el destello de una correa de cuero a través de un hombro.

Ese fue el comienzo de una maravillosa sospecha. En algún lugar detrás de ese rostro oscuro y divertido, había algo del rostro de Selina. Llevó la fotografía al espejo y trató de encontrar similitudes en los planos de su cara, la forma en que le crecía el pelo y los ángulos cuadrados de su mandíbula. No había mucho más. El hombre era muy buen mozo y Selina era fea. Las orejas de él se encontraban con prolijidad junto a su cabeza, y las de Selina sobresalían como las asas de un jarrón.

Dio vuelta la fotografía. En la parte posterior estaba escrito:

Para mi querida Harriet,
de G.

y un par de cruces que representaban besos.

Harriet había sido el nombre de su madre. Selina supo entonces que la fotografía era de su padre.

25

Nunca se lo contó a nadie. Puso a *Rebeca* de nuevo en el estante y se llevó la fotografía a su cuarto. De allí en más, la llevaba consigo a todas partes, envuelta en papel fino para mantenerla limpia y en buen estado. Ahora sentía que al menos poseía una raíz, si bien tenue. Pero eso todavía no satisfacía su necesidad. Y continuó observando a otras familias y escuchando a hurtadillas las conversaciones de otras personas...

Una voz infantil penetró sus pensamientos. Selina había estado soñando al sol. Ya despierta, tomó conciencia del incesante estruendo del tránsito de Piccadilly, las bocinas de los coches y la cháchara aguda de una bebita sentada en una silla de paseo. La pequeña del triciclo y su padre habían desaparecido hacía rato. Otros grupos ocupaban distintos lugares, y una pareja de enamorados yacía, entrelazados con total abandono, a pocos metros de donde Selina estaba sentada.

La silla de madera se había vuelto incómoda. Selina cambió de posición y el paquete con el regalo de Rodney se deslizó de su regazo y cayó al pasto. Selina se agachó y lo recogió. Sin pensar, comenzó a desatarlo. La sobrecubierta del libro era de color blanco brillante con letras en rojo.

FIESTA EN CALA FUERTE
de George Dyer

Frunció los labios. El libro parecía muy pesado. Lo hojeó y luego lo cerró, como si hubiera terminado de leerlo, con la parte trasera mirando hacia arriba sobre su rodilla.

El rostro atrajo su atención como en ocasiones lo hace un nombre en la columna de un diario. Era una fotografía informal, ampliada para llenar el espacio en la contratapa de la sobrecubierta. George Dyer. Llevaba una camisa blanca desprendida en el cuello, y su piel, en contraste, era oscura como el cuero. Su rostro estaba cubierto de arrugas que se extendían desde las comisuras de los ojos, dibujaban canales profundos desde la nariz a la boca y surcaban la frente. Pero aun así, era el mismo rostro. No había cambiado tanto. La hendidura estaba allí en el mentón. Las orejas bien delineadas, la luz en los ojos, como si compartiera con el fotógrafo un chiste fantástico.

George Dyer. El autor. El hombre vivía en una isla en el Mediterráneo y escribía acerca de los habitantes con equilibrio y sensatez. Ese era su nombre. George Dyer. Selina tomó su bolso, extrajo la fotografía de su padre y, con manos temblorosas, sostuvo ambas fotografías una junto a la otra.

George Dyer. Y había publicado un libro. Y estaba vivo.

2

Tomó un taxi para regresar a Queen's Gate, subió la escalera corriendo, irrumpió en el departamento y llamó a Agnes.

—Estoy aquí, en la cocina —respondió la mujer.

Estaba preparando el té. Selina apareció en la puerta abierta de la cocina y Agnes, que estaba poniendo una cucharada de té en la tetera, levantó la cabeza. Era una persona pequeña y sin edad. Su expresión, algo amarga, le servía como defensa contra las tragedias de la vida, puesto que tenía el corazón más generoso del mundo y le dolía enterarse de penurias o tristezas que no pudiera aliviar. "Esos pobres argelinos", decía, y se ponía un sombrero para salir y comprar un giro postal, probablemente por un valor más alto del que podía permitirse. Durante la campaña mundial contra el hambre había pasado siete días seguidos sin almorzar y sufrido mucho a causa del cansancio y la indigestión resultantes.

El contrato de arrendamiento del departamento de Queen's Gate ya había sido vendido, y cuando Rodney y Selina se casaran y se mudaran a su nuevo hogar, Agnes iría con ellos. Había tomado tiempo convencerla. Sin duda, Selina no desearía un estorbo como la vieja Agnes... querría emprender sola su nueva vida. Selina había asegurado a la anciana que nada estaba más lejos de su mente. Bueno, el señor Ackland, entonces, argumentó Agnes. ¡Cielos, sería como vivir con la suegra! Rodney, aleccionado por Selina, disuadió a Agnes de esa idea. Luego la mujer alegó que no le gustaba la idea de mudarse, era demasiado vieja para eso. De modo que la llevaron a conocer el departamento nuevo. Su luminosidad y comodidades la encantaron, tal como ellos habían supuesto. También la cocina norteamericana, inundada de sol, y la salita de estar que sería sólo para ella, con vista al parque y televisor propio. Después de todo, se dijo Agnes con resolución, iría con ellos para ayudar. Para trabajar. Y con el tiempo, seguramente volvería a ser una niñera, con otro cuarto de niños que dirigir y otra generación de bebés, una perspectiva que avivaba sus instintos maternales latentes.

Ahora dijo:

—Volviste temprano. Pensé que irían a tomar las medidas de los pisos. —Selina continuaba de pie en el vano. Tenía las mejillas rosadas por la corrida escaleras arriba y los ojos azules brillantes como cristales. Agnes frunció el entrecejo. —¿Sucede algo malo, querida?

Selina se adelantó y depositó un libro en la mesa fregada entre ellas.

—¿Has visto antes a este hombre? —preguntó y miró a Agnes a los ojos.

Agnes, alarmada, bajó la vista con lentitud hacia el libro. Su reacción fue más que satisfactoria. Dejó escapar una débil exclamación, soltó la cuchara y se sentó de pronto en una silla pintada de azul. Selina casi esperaba que la anciana se apoyara una mano en el corazón. Se inclinó hacia adelante a través de la mesa.

—¿Lo has visto, Agnes?

—Oh —musitó la mujer—. ¡Oh, qué sobresalto me diste!

Selina no cedió.

—Lo has visto antes, ¿verdad?

—Oh, Selina... ¿de dónde...? ¿Cómo sabías...? ¿Cuándo...? —Era incapaz de formular una pregunta o terminar una oración. Selina acercó una silla y se sentó frente a ella.

—Es mi padre, ¿no? —Agnes parecía al borde de las lágrimas. —¿Así se llama? ¿George Dyer? ¿Ese era el nombre de mi padre?

Agnes se serenó.

—No —repuso—. No, no lo era.

Selina se mostró arrogante.

—Bien, ¿cuál era entonces?

—Se llamaba Gerry... Dawson.

—Gerry Dawson. G.D. Las mismas iniciales. El mismo rostro. Es un seudónimo. Es evidente; se trata de un seudónimo.

—Pero Selina... tu padre murió.

—¿Cuándo?

—Después del Día D. Después de la invasión de Francia.

—¿Cómo sabemos que murió? ¿Acaso voló frente a los ojos de un testigo? ¿Murió en brazos de alguien? ¿*Sabemos* que está muerto?

Agnes se pasó la lengua por los labios.

—Desapareció. Lo dieron por muerto.

La esperanza renació.

—Entonces no lo *sabemos.*

—Esperamos tres años y luego lo dieron por muerto. Le avisaron a tu abuela porque Harriet... bueno, ya sabes. Murió cuando tú naciste.

—¿Mi padre no tenía familiares?

—Ninguno que conociéramos. Esa era una de las cosas que tu abuela desaprobaba. Decía que no tenía antecedentes. Harriet lo conoció en una fiesta; nunca los presentaron en la forma debida, como a tu abuela le hubiera gustado.

—¡Por el amor de Dios, Agnes, estábamos en guerra! Una guerra que ya llevaba cinco años. ¿Abuela no lo había advertido?

—Bueno, quizá, pero tenía sus pautas y sus principios y se atenía a ellos. No hay nada de malo en eso.

—Olvidemos ese punto. Mi madre se enamoró de él.

—Perdidamente —añadió Agnes.

—Y se casaron.

—Sin el consentimiento de la señora Bruce.

—¿Y abuela perdonó a Harriet?

—Oh, sí, nunca fue rencorosa. Y en todo caso, Harriet se reinstaló aquí. Verás, a tu padre lo enviaron... bueno, en esos días lo llamaban Alguna parte en Inglaterra. Pero lo mandaron a Francia... a poco del Día D. Murió poco después. Nunca volvimos a verlo.

—O sea que estuvieron casados...

—Tres semanas. —Agnes tragó el nudo que tenía en la garganta. —Pero tuvieron una luna de miel y estuvieron juntos varios días.

—Y mi madre quedó embarazada —concluyó Selina. Agnes la miró en silencio y con expresión

32

escandalizada. Aún no esperaba que Selina utilizara esas palabras o que siquiera supiera sobre esas cosas.

—Bueno, sí. —El rostro en la sobrecubierta atrajo su atención. Enderezó el libro y observó la luz traviesa en los ojos oscuros. Habían sido castaños. Gerry Dawson. ¿Era en verdad Gerry Dawson? Se le parecía, por cierto, o al menos a cómo estaría ahora si no hubiera muerto, así, tan joven y tan apuesto.

Los recuerdos se agolparon y no eran todos malos. El hombre había dado a Harriet un brillo y una vitalidad que Agnes ignoraba que pudiera poseer. Con Agnes había flirteado un poquito, le deslizaba un billete de una libra cuando nadie lo veía. No era algo de lo que ella se enorgulleciera, por supuesto, pero había sido divertido. Un poco de diversión cuando la vida era particularmente seria. Un viento masculino que soplaba a través de la casa de mujeres. La señora Bruce fue la única en resistir a su encanto.

—Es un inútil —declaraba—. Salta a la vista. ¿Quién es? ¿Qué es? Quítale el uniforme y no verás más que un vago bien parecido. No tiene ningún sentido de la responsabilidad. No piensa en el futuro. ¿Qué clase de vida puede ofrecer a Harriet?

Desde luego, en cierta forma, estaba celosa. Le gustaba dirigir la vida de las personas, ejercer un control estricto sobre su comportamiento y el dinero que gastaban. Había pensado elegir ella misma un marido para Harriet. Pero Gerry Dawson, pese a su encanto, poseía una personalidad y una determinación comparables a las de ella. Y había ganado la batalla.

Más tarde, después de su muerte, cuando Harriet,

sin deseos de vivir, hubo muerto también, la señora Bruce dijo a Agnes:

—Cambiaré el apellido Dawson de la niña por el de Bruce. Ya he hablado con el señor Arthurstone al respecto. Creo que es lo más conveniente.

Agnes no estaba de acuerdo. Pero jamás había discutido con la señora Bruce.

—Sí, señora —fue su respuesta.

—Y, Agnes, preferiría que creciera sin saber nada de su padre. No le haría bien y podría infundirle mucha inseguridad. Confío en que no me decepcionarás, Agnes. —Tenía a la beba sobre la rodilla y alzaba la vista. Las dos mujeres se miraron por sobre la cabeza velluda de la beba.

Al cabo de una pausa, Agnes repitió:

—Sí, señora. —Fue recompensada con una sonrisa breve y fría. La señora Bruce levantó a Selina y la depositó en brazos de Agnes.

—Ahora me siento mucho más feliz —declaró—. Gracias, Agnes.

—Crees que es mi padre, ¿verdad? —aventuró Selina.

—No lo sé con certeza, Selina.

—¿Por qué nunca quisiste decirme su nombre?

—Prometí a tu abuela que no lo haría. Ahora he roto mi promesa.

—No tenías opción.

Un pensamiento asaltó a Agnes.

—¿Cómo *sabes* tú cómo era él?

—Encontré una fotografía, hace años. Nunca se lo conté a nadie.

—No harás... no harás nada. —La voz de Agnes

tembló ante la mera idea.

—Podría buscarlo —señaló Selina.

—¿De qué serviría? Aun cuando fuera tu padre.

—Sé que es mi padre. Simplemente lo sé. Todo lo indica. Todo lo que me has contado. Todo lo que has dicho...

—Si lo es, ¿por qué no regresó en busca de Harriet después de la guerra?

—¿Cómo saberlo? Tal vez estaba herido o había perdido la memoria. Esas cosas ocurrieron, sabes. —Agnes permanecía callada. —Quizá mi abuela lo trató tan mal...

—No —afirmó Agnes—. Eso no habría cambiado nada. No para el señor Dawson.

—Querrá saber que tuvo una hija. Que me tuvo a mí. Y yo quiero saber sobre él. Quiero saber cómo es, cómo habla y qué piensa y hace. Deseo sentir que pertenezco a alguien. No sabes lo que significa no pertenecer a nadie.

Pero Agnes entendía, puesto que siempre había reconocido esa necesidad en Selina. Vaciló y luego hizo la única sugerencia que se le ocurrió.

—¿Por qué no lo consultas con el señor Ackland?

La oficina del editor quedaba en la parte superior del edificio, al final de un incierto viaje ascendente por pequeños y temblorosos ascensores, tramos cortos de escaleras, pasillos estrechos y, otra vez, más escaleras. Sin aliento y con la impresión de estar a punto de aparecer en el techo, Selina se encontró frente a una puerta con un letrero que decía: Señor A. G. Rutland.

Golpeó. No hubo respuesta, sólo el sonido de una

máquina de escribir. Selina abrió la puerta y espió el interior. La muchacha que estaba mecanografiando alzó la vista, se detuvo un segundo y preguntó:

—¿Sí?

—Quisiera ver al señor Rutland.

—¿Tiene una cita?

—Llamé por teléfono esta mañana. Soy la señorita Bruce. Dijo que si venía a eso de las diez y media... —Miró el reloj. Eran y veinte pasadas.

—Bueno, ahora está ocupado —contestó la dactilógrafa—. Será mejor que tome asiento y lo espere.

Continuó escribiendo. Selina entró en la habitación, cerró la puerta y se sentó en una silla pequeña y dura. El murmullo de voces masculinas se filtraba desde la oficina interna. Al cabo de unos veinte minutos, el murmullo se volvió más animado, se oyó el ruido de una silla al ser empujada hacia atrás y luego pasos. La puerta de la oficina interna se abrió y salió un hombre. Se estaba poniendo el sobretodo y dejó caer una carpeta con papeles.

—Oh, qué descuidado... —Se agachó para recogerla. —Gracias por todo, señor Rutland...

—De nada. Vuelva cuando tenga ideas nuevas para el desenlace.

—Sí, por supuesto.

Se despidieron. El editor se encaminó a su oficina y Selina tuvo que pararse y llamarlo por su nombre. El hombre se volvió y la miró.

—¿Sí? —Era más viejo de lo que había imaginado, muy calvo, con el tipo de lentes con los que se puede ver a través y por encima. En ese momento miraba por encima, como un director de escuela anticuado.

—Yo... creo que tengo una cita.

—¿De veras?

—Sí. Soy Selina Bruce. Telefoneé esta mañana.

—Estoy muy ocupado...

—No serán más de cinco minutos.

—¿Usted es escritora?

—No, nada de eso. Sólo deseo que me ayude... que responda a algunas preguntas.

El editor suspiró.

—Ah, está bien.

Se hizo a un lado para que Selina pasara junto a él y entrara en la oficina. Había una alfombra roja y un escritorio abarrotado, estantes y estantes de libros y libros y manuscritos apilados en las mesas, las sillas e incluso en el piso.

No se disculpó por nada de eso. Era obvio que no le parecía necesario... y por cierto no lo era. Empujó una silla hacia adelante para Selina y fue a sentarse detrás del escritorio. Antes de que se hubiera instalado, ella comenzó a explicar.

—Señor Rutland, lamento mucho molestarlo y seré lo más breve posible. Se trata del libro que usted publicó, *Fiesta en Cala Fuerte.*

—Ah, sí. George Dyer.

—Sí. ¿Sabe... sabe algo acerca de él?

La abrupta pregunta fue acogida con un silencio desalentador y una mirada más desalentadora aún por encima de los lentes del señor Rutland.

—¿Por qué? —inquirió éste por fin—. ¿Usted sí?

—Sí. Al menos eso creo. Era un... amigo de mi abuela. Ella murió hace seis semanas y yo... bueno, quería avisarle.

—Puedo remitirle una carta suya.

Selina respiró hondo y procedió a atacar otro flanco.

—¿Sabe usted mucho sobre él?

—Tal vez tanto como usted. Supongo que ha leído el libro.

—Me refiero a que... ¿no lo conoce personalmente?

—No —replicó el señor Rutland—. Nunca lo he visto. Vive en Cala Fuerte en la isla de San Antonio. Creo que ha vivido allí durante los últimos seis o siete años.

—¿Jamás vino a Londres? ¿Ni siquiera cuando se publicó el libro?

El señor Rutland sacudió su cabeza calva y la luz de la ventana brilló sobre ella.

—¿Sabe usted... si es casado?

—No lo era en ese entonces. Quizás ahora sí.

—¿Y qué edad tiene?

—No tengo la menor idea. —Comenzaba a sonar un poco impaciente. —Mi estimada señorita, me está haciendo perder el tiempo.

—Lo sé. Lo siento. Creí que usted podría ayudarme. Pensé que tal vez él estuviera en Londres ahora y yo podría verlo.

—No, me temo que no. —El señor Rutland se puso de pie con firmeza para indicar que la entrevista había concluido. Selina se paró también y él fue hasta la puerta y la abrió para ella. —Pero si desea ponerse en contacto con él, con gusto remitiremos la correspondencia al señor Dyer.

—Gracias. Lamento haberle hecho perder el tiempo.

—De nada. Buenos días.

—Adiós.

Pero cuando atravesó la puerta y cruzó la oficina externa se la veía tan abatida que, a pesar suyo, el señor Rutland se compadeció de ella. Frunció el entrecejo, se quitó los anteojos y llamó:

—Señorita Bruce.

Selina se volvió.

—Enviamos todas sus cartas al Yacht Club en San Antonio, pero su casa se llama Casa Barco, en Cala Fuerte. Se ahorraría tiempo si le escribiera directamente. Y, si lo hace, recuérdele que todavía estoy esperando la sinopsis del segundo libro. Le he escrito docenas de cartas pero parece sentir una gran aversión a contestarlas.

Selina sonrió y el editor se sorprendió por la transformación que eso provocó en toda su apariencia.

—Oh, gracias —respondió—. Le estoy agradecida.

—De nada —musitó el señor Rutland.

El departamento vacío no era el lugar más adecuado para una conversación de esa importancia, pero no había otro.

Selina interrumpió los comentarios de Rodney sobre los méritos relativos de las alfombras lisas y con dibujos y manifestó:

—Tengo que hablar contigo, Rodney.

La interrupción lo irritó un poco. Durante todo el almuerzo y el viaje en taxi, había pensado que ella estaba rara. Apenas había probado bocado y parecía preocupada y distante. Además, llevaba una blusa que no combinaba con el abrigo ni la falda y tenía un punto corrido en la media derecha. Selina solía estar tan acicalada e impecable como un gato siamés, y esas pequeñas irregularidades inquietaban a Rodney.

—¿Pasa algo malo? —preguntó.

Selina trató de mirarlo a los ojos, respirar hondo y estar tranquila, pero su corazón latía con violencia y sentía el estómago como si acabara de subir en un ascensor demasiado rápido y hubiera dejado la mayoría de sus entrañas en el sótano.

—No, no ocurre nada malo. Pero debo hablar contigo.

Rodney frunció el entrecejo.

—¿No puedes esperar hasta la noche? Esta es la única oportunidad que tendremos de medir los...

—Oh, Rodney, por favor, ayúdame y escucha.

Rodney vaciló. Luego, con expresión resignada, bajó el muestrario de alfombras, plegó la regla y la deslizó dentro de su bolsillo.

—Bien. Te escucho.

Selina se humedeció los labios. El departamento vacío la ponía nerviosa. Las voces resonaban y no había muebles ni adornos con los cuales ocupar las manos ni almohadones para darles forma. Se sentía como si la hubieran lanzado a un escenario grande y vacío, sin decorado y sin apuntador, y hubiera olvidado su parte.

Respiró fuerte y comenzó:

—Se trata de mi padre.

La expresión de Rodney no se alteró demasiado. Era un buen abogado y le gustaba jugar al póquer. Sabía todo sobre Gerry Dawson, dado que la señora Bruce y el señor Arthurstone hacía ya tiempo que habían considerado necesario mantenerlo informado en ese sentido. Y sabía que Selina ignoraba todo con respecto a su padre. Y que no sería él quien modificara eso.

—¿Qué sucede con tu padre? —preguntó con

40

bastante amabilidad.

—Bueno... creo que está vivo.

Aliviado, Rodney sacó las manos de los bolsillos y emitió una risita incrédula.

—Selina...

—No, no lo digas. No digas que está muerto. Sólo escucha un momento. ¿Recuerdas el libro que me regalaste ayer? *¿Fiesta en Cala Fuerte?* ¿Sabías que tiene una fotografía del autor, George Dyer, en la contratapa de la sobrecubierta?

Rodney asintió.

—Bueno, el caso es que... es idéntico a mi padre.

Rodney digirió eso y luego inquirió:

—¿Cómo sabes cómo era tu padre?

—Lo sé porque hace años encontré una fotografía de él dentro de un libro. Y creo que es la misma persona.

—Quieres decir que George Dyer es... —Se interrumpió justo a tiempo.

—Gerry Dawson —concluyó Selina con aire triunfal.

Rodney empezó a sentir como si alguien tirase de una alfombra bajo sus pies.

—¿Cómo sabes su nombre? Se supone que no deberías saberlo.

—Agnes me lo dijo ayer.

—Pero Agnes no tiene por qué...

—¡Oh, Rodney, trata de entender! No puedes culparla. La tomé desprevenida. Puse la fotografía de George Dyer *así* sobre la mesa frente a ella. Casi se desmayó.

—Eres consciente de que tu padre está muerto, ¿verdad, Selina?

—Pero, Rodney, ¿no comprendes? Él desapareció.

41

Desapareció y lo dieron por muerto. Pudo haber pasado cualquier cosa.

—Entonces, ¿por qué no volvió después de la guerra?

—Tal vez estuviera enfermo. O hubiera perdido la memoria. Quizá se enteró de que mi madre había muerto.

—¿Y qué ha estado haciendo todo este tiempo?

—No lo sé. Pero durante los últimos seis años ha vivido en San Antonio. —Se dio cuenta de que Rodney le preguntaría cómo había averiguado eso y se apresuró a agregar: —Está todo en su libro. —No quería contarle sobre la visita al señor Rutland.

—¿Tienes contigo la fotografía de tu padre?

—No, no la del libro.

—No me refería a ésa sino a la otra.

Selina titubeó.

—Sí, la tengo.

—Déjame verla.

—¿Me... la devolverás...?

Un ligero tono de irritación tiñó la voz de Rodney.

—¿Por quién me tomas, querida niña?

Selina se sintió avergonzada al instante. Rodney jamás se rebajaría a cometer un acto solapado. Tomó su bolso, extrajo la preciada fotografía y se la entregó. Rodney la llevó a la luz de la ventana y ella lo siguió y se paró a su lado.

—Es probable que no recuerdes la fotografía del libro, pero juraría que es la misma persona. Todo es igual. La hendidura en el mentón. Y los ojos... y la forma de las orejas.

—¿Qué dijo Agnes?

—No quiso comprometerse, pero estoy segura de que piensa que es mi padre.

42

Rodney no respondió. Frunció el entrecejo mientras estudiaba el rostro oscuro y divertido en la fotografía, presa de varias ansiedades. La primera era la posibilidad de perder a Selina. Un hombre dolorosamente honesto, Rodney nunca había caído en el engaño de creerse enamorado de ella. Pero casi sin darse cuenta, Selina se había convertido en una parte placentera de su vida. Le atraía su aspecto: el cabello y la piel sedosos y dorados y los ojos azules como zafiros. Y aunque los intereses de ella no fueran tal vez tan esotéricos como los suyos, demostraba una encantadora disposición para aprender.

Además estaba el aspecto económico. Desde la muerte de su abuela, Selina era una muchacha de cierta fortuna; una fruta tierna que podía caer en manos de un hombre posiblemente inescrupuloso. Por el momento, Rodney y el señor Arthurstone manejaban de común acuerdo sus acciones y fideicomisos. Dentro de seis meses, Selina cumpliría veintiún años y, a partir de entonces, cualquier decisión final dependería de ella. La idea de perder el control de todo ese dinero provocaba escalofríos en Rodney.

Bajó la vista sobre su hombro y la miró a los ojos. Nunca había conocido a ninguna joven con esos ojos. Parecían una publicidad de detergente. Olía a limones frescos... a verbena. Desde algún lugar del pasado, le pareció oír la voz de la señora Bruce y algunos de los calificativos mordaces que había aplicado a Gerry Dawson. *Inútil* fue la palabra que se fijó en su mente. Recordó otros epítetos. Irresponsable. Poco serio. Insolvente.

Sostenía la fotografía de una punta y la golpeó

contra la palma de su mano izquierda. Por fin, en un arranque de fastidio y como necesitaba culpar a alguien por la situación en la que se encontraba, expresó:

—Por supuesto, tu abuela tiene la culpa. Nunca debió haberte ocultado todo lo referente a tu padre. Esta maraña de misterio, el no mencionar nunca su nombre... fue una equivocación ridícula.

—¿Por qué? —preguntó Selina con interés.

—¡Porque te has vuelto obsesiva con él! —la increpó. Selina lo miró con fijeza. Era evidente que estaba muy dolida. Tenía la boca semiabierta como una niña consternada. Rodney prosiguió con crueldad.

—Tienes una obsesión con los padres, las familias y la vida familiar en general. El hecho de que hayas encontrado esta fotografía y la hayas conservado... oculta... es un típico síntoma.

—Hablas como si tuviera sarampión.

—Estoy tratando de hacerte entender que tienes un complejo por tu padre muerto.

—Quizá no esté muerto —lo corrigió Selina—. Y si tengo un complejo sobre él, acabas de admitir que no es mi culpa. ¿Qué hay de malo en tener un complejo? No es como ser bizca o albina. No se nota.

—Selina, esto no es gracioso.

—Yo tampoco creo que lo sea.

Lo miraba con ojos brillantes que Rodney decidió que podían ser descriptos como enojados. Estaban peleando. Nunca lo habían hecho y ése no era momento para empezar.

—Lo siento, querida —se apresuró a disculparse.

Se inclinó para besarle la boca. Pero ella volvió

la cara y los labios se posaron en la mejilla.

—¿No lo entiendes? Sólo pienso en ti. No quiero que te empecines con un hombre y lo persigas hasta el fin del mundo para después darte cuenta de que has cometido un error tonto.

—Pero suponiendo —adujo Selina—, sólo suponiendo que de veras *sea* mi padre. Que esté vivo y resida en San Antonio. Que escriba libros, navegue en su pequeño barco y sea amigo de los españoles locales. Tú querrías que yo lo conociera, ¿no? Desearías tener un suegro como es debido.

Era lo último que Rodney quería.

—No debemos pensar sólo en nosotros —respondió con gentileza—. También tenemos que considerarlo a él... a George Dyer... sea o no tu padre.

—No entiendo.

—Después de todos estos años, ha forjado una buena vida para él. Una vida que él mismo eligió. Si hubiera deseado una familia y las ataduras de una esposa e hijos... e hijas... ya se las habría procurado.

—¿Quieres decir que no me querría? ¿Que no querría que yo lo buscara?

Rodney se quedó helado.

—No estarás pensando en hacer algo así, ¿verdad?

—Es muy importante para mí. Podríamos viajar a San Antonio.

—¿Podríamos?

—Quiero que vengas conmigo. Por favor.

—De ninguna manera. Además, debo ir a Bournemouth, ya te lo dije. Estaré fuera tres o cuatro días.

—¿La señora Westman no puede esperar?

—Por supuesto que no puede esperar.

—Pero quiero que estés conmigo. Ayúdame, Rodney.

Rodney interpretó mal el pedido. Pensó que ella decía "ayúdame" en un sentido práctico. Ayúdame a comprar un billete de avión, ayúdame a tomar el avión correcto, ayúdame a pasar la aduana, a encontrar los taxis y los maleteros. En toda su vida, Selina jamás había viajado sola y Rodney confiaba para sus adentros en que ahora ya no lo intentaría.

Eludió la petición con un pequeño arrebato de encanto. Sonrió, la tomó de la mano y manifestó con tono apaciguador:

—¿Por qué tanto apuro? Sé paciente. Entiendo la excitación de sospechar de pronto que tu padre esté vivo. También sé que siempre ha habido una especie de vacío en tu vida. Esperaba ser capaz de llenarlo.

Sonó noble.

—No se trata de eso, Rodney... —respondió Selina.

—Pero no sabemos nada de George Dyer. ¿No crees que deberíamos hacer algunas averiguaciones discretas antes de decidir nada que luego podríamos lamentar?

—Nací antes de que se lo declarara desaparecido. Ni siquiera sabe que existo.

—¡Exactamente! —Rodney se arriesgó con un tono más impresionante.

"¿Sabes, Selina? Existe un refrán antiguo y muy cierto: "Nunca despiertes a un tigre dormido".

—No pienso en él como en un tigre. Sólo pienso que quizás esté vivo y que es la única persona que he necesitado, más que a nadie, durante toda mi vida.

Rodney dudó entre ofenderse y enojarse.

—Hablas como una niña.

—Es como una moneda. Una moneda tiene dos lados, cara y cruz. Yo también tengo dos lados. Un lado Bruce y un lado Dawson. Selina Dawson. Ese es mi verdadero nombre. Ésa soy yo en realidad. —Le sonrió y Rodney pensó, en medio de su aflicción, que era una sonrisa que jamás había visto antes. —¿Amas a Selina Dawson tanto como amas a Selina Bruce? —Rodney todavía sostenía la fotografía de su padre. Selina se la quitó y volvió a guardarla en su bolso.

Un poco tarde, Rodney respondió:

—Sí, claro que sí.

Selina cerró el bolso y lo dejó.

—Bien —declaró y se alisó la falda como si estuviera a punto de comenzar a recitar—. ¿no es hora de que tomemos las medidas?

3

A la pálida luz del amanecer, el aeropuerto de Barcelona estaba cubierto de agua por la tormenta que había perseguido al avión a través de los Pirineos. Un viento débil soplaba de las montañas. Los funcionarios del aeropuerto olían a ajo y, en la sala, los bancos y sillas estaban hundidos por figuras aún dormidas, envueltas en abrigos y mantas y con ojos hinchados y aspecto desanimado por la larga espera. Había sido una mala noche. Los vuelos de Roma y Palma estaban cancelados. Los de Madrid, demorados.

Selina, todavía mareada por el viaje, atravesó las puertas giratorias de vidrio y se preguntó qué hacer. Tenía un billete directo a San Antonio pero necesitaba otra tarjeta de embarque. En un mostrador, un funcionario de aspecto cansado estaba pesando unas maletas. Selina se acercó esperanzada y se paró frente a él. Al cabo de un rato, el hombre levantó la vista y ella preguntó:

—¿Habla usted inglés?

—Sí.

—Tengo un billete para San Antonio.

Inmutable, el empleado estiró una mano para

tomarlo y arrancó la hoja pertinente. Extendió una tarjeta de embarque, la deslizó dentro del billete y se lo devolvió a Selina.

—Gracias. ¿A qué hora sale el avión?

—A las siete y media.

—¿Y mi equipaje?

—Ya está marcado para que continúe viaje a San Antonio.

—¿Y la aduana?

—La aduana es en San Antonio.

—Entiendo. Muchísimas gracias. —Pero sus esfuerzos por obtener una sonrisa no tuvieron éxito. El hombre había pasado una mala noche y no estaba de ánimo para ser simpático.

Selina se sentó. Estaba agotada, pero demasiado nerviosa para tener sueño. El avión había despegado del aeropuerto de Londres a las dos de la madrugada y ella había permanecido sentada, con la vista fija en la oscuridad, repitiéndose que debía tomar las cosas una por vez. Barcelona. San Antonio. Aduana, pasaportes y demás. Luego un taxi. Sería bastante fácil conseguir un taxi. Y después Cala Fuerte. Cala Fuerte no sería grande. ¿Dónde vive el inglés, George Dyer?, preguntaría y le explicarían cómo llegar a Casa Barco. Y allí lo encontraría.

La tormenta los sorprendió sobre los Pirineos. El capitán ya se lo había advertido y los despertaron para que se abrocharan los cinturones de seguridad. El avión se bamboleó y se sacudió, tomó más altura y siguió sacudiéndose. Algunos pasajeros vomitaron. Selina, con los ojos cerrados, se concentró para no hacerlo. Y lo logró por muy poco.

Mientras iniciaban el descenso hacia Barcelona,

fueron acometidos por relámpagos que parecían flamear como banderas en las puntas de las alas. Una vez que hubieron atravesado las nubes, la lluvia se abatió con fuerza sobre ellos. Cuando aterrizaron en Barcelona, meciéndose en un viento cruzado, la pista estaba saturada de agua y brillaba con el reflejo de las luces. Las ruedas tocaron el asfalto y levantaron grandes chorros de agua. La tripulación entera suspiró con alivio cuando el avión carreteó por fin hasta detenerse y se apagaron los motores.

Era extraño que nadie la esperara. Debía haber un chofer de uniforme, con un auto grande y tibio. O Agnes, sosteniendo unas mantas. Debía haber alguien que retirara su equipaje y tratara con los funcionarios. Pero no lo había. Eso era España; Barcelona a las seis de una mañana de marzo. Y no había nadie excepto Selina.

Cuando las agujas del reloj se hubieron deslizado lentamente a las siete, entró en el bar y pidió una taza de café. Pagó con unas pesetas que el hombre precavido en el Banco había insistido en que llevara consigo. El café no era muy bueno pero estaba caliente. Selina se sentó y bebió mientras contemplaba su reflejo en el espejo del fondo del bar. Llevaba un vestido de jersey marrón, un abrigo beige y un pañuelo de cabeza de seda que ahora se había resbalado por la parte trasera de su cabello. "Ropa de viaje", la llamaba la señora Bruce. Tenía ideas muy precisas acerca de la ropa de viaje. El jersey es cómodo y no se arruga y el abrigo debe ser amplio. Los zapatos tienen que ser livianos pero lo bastante fuertes para las largas caminatas en los aeropuertos ventosos, y el equipaje de mano, grande y con suficiente capacidad. Selina seguía de manera automática esos excelentes e invariables consejos, incluso en momentos dramáticos. Aunque no ayudaban mucho. Su aspecto no dejaba de ser caótico y se sentía exhausta. Tenía miedo a los aviones y el hecho de vestirse como una viajera experimentada no la convertía en tal ni desvanecía la convicción de que moriría en un accidente aéreo o perdería el pasaporte.

El avión a San Antonio parecía muy pequeño y tan poco confiable como uno de juguete. "Oh, no", pensó mientras caminaba hacia él. El viento le arrojaba vahos de gasolina en la cara y los charcos le salpicaban las puntas de los zapatos. Había pocos pasajeros y abordaban la aeronave en fila con aire sombrío, como si compartieran los temores de Selina. Una vez sentada y con el cinturón de seguridad abrochado, aceptó un caramelo de glucosa y empezó a comerlo como si se tratara de una nueva cura milagrosa para el pánico. No lo era, pero el avión no se estrelló.

Sin embargo, el mal tiempo persistía y no avistaron San Antonio hasta que sobrevolaron tierra. En las ventanillas, no se veía más que nubes de lana gris. Luego, apareció la lluvia. Y después, de pronto, los campos y los techos de las casas, un molino, un grupo de pinos y tierra del color del ladrillo; todo centelleante bajo el agua. El aeropuerto era de construcción reciente. La pista de aterrizaje se abría paso como una aplanadora en el suelo y ahora era un mar de lodo rojo. Después de aterrizar, dos mecánicos acercaron a mano una escalera al costado del avión. Llevaban impermeables amarillos y estaban manchados de barro hasta las rodillas. Ya nadie parecía ansioso por abandonar la aeronave. Cuando lo hicieron, avanzaron con precaución y esquivando los charcos.

San Antonio olía a pinos. A pinos húmedos y resinosos. La lluvia, milagrosamente, parecía haber cesado. Hacía más calor y el viento era suave. Allí no había montañas con cumbres nevadas, sólo el mar circundante y cálido. Eso era San Antonio. El viaje había concluido y Selina seguía viva. Se quitó el pañuelo de la cabeza y dejó su pelo al viento.

Había una cola para pasar por migraciones. Miembros de la Guardia Civil, de pie aquí y allá, parecían estar esperando una afluencia de criminales. Portaban armas y no por motivos ornamentales. El oficial de migraciones trabajaba con lentitud. Estaba hablando con un colega. La conversación era larga e involucraba una cierta discusión. El hombre sólo se interrumpía a intervalos para inspeccionar con esmero, hoja por hoja, cualquier pasaporte extranjero. Selina estaba tercera y había esperado diez minutos antes de que el funcionario por fin estampara "ENTRADA" en su pasaporte y se lo devolviera.

—¿Mi equipaje...? —aventuró.

El hombre no comprendió, o no deseó hacerlo, y le indicó que continuara su camino. Selina guardó el pasaporte en su bolso y prosiguió la búsqueda por su cuenta. Para ser un aeropuerto pequeño, San Antonio estaba increíblemente atestado a esa hora temprana de la mañana, pero el avión de Barcelona regresaba a España a las 09:30 y era un vuelo muy popular. Las familias se reunían, los niños lloraban y las madres les pedían a gritos que pararan. Los padres discutían con los maleteros y se ponían en fila para confirmar los billetes y conseguir las tarjetas de embarque. Los enamorados, de pie con las manos enlazadas, esperaban para despedirse y estorbaban el paso a todos. El ruido en el edificio de cielo raso alto era ensordecedor.

—Permiso —repetía Selina mientras intentaba pasar entre el gentío—. Disculpe... permiso. —Algunos de los pasajeros de su vuelo ya estaban reunidos bajo un cartel que decía ADUANA. Selina avanzó con dificultad hacia ellos. —Lo siento... —Tropezó con una canasta abultada y casi tumbó a un bebé gordo con un abrigo tejido amarillo. —Por favor, permiso.

El equipaje ya estaba llegando. Era depositado a mano sobre un mostrador provisional, reclamado, examinado, en ocasiones abierto y por fin, pasado por el oficial de la aduana y retirado.

La maleta de Selina nunca apareció. Era azul con una franja blanca y fácil de identificar. Después de aguardar una eternidad, se dio cuenta de que no quedaban más valijas. El resto de los pasajeros habían cumplido con todo el procedimiento, uno por uno. Selina estaba sola.

El funcionario de la Aduana, que hasta el momento había logrado ignorarla con éxito, se llevó las manos a las caderas y enarcó sus cejas negras hacia ella.

—Mi maleta... —dijo Selina—. Es...

—*No hablo inglese.*

—Mi maleta... ¿Habla usted inglés?

Un segundo hombre se adelantó.

—Dice que no.

—¿Habla *usted* inglés?

El hombre se encogió de hombros en forma complicada, sugiriendo que quizás, en circunstancias desesperadas, podría tal vez entender una palabra o dos.

—Mi valija. Mi equipaje. —Selina pasó con desesperación al francés. —*Mon bagage.* —¿No está aquí?

—No.

—¿De dónde prroviene? —Hacía vibrar la erre con mucha pomposidad. —¿De dónde prroviene?

—De Barcelona. Y de Londres.

—¡Ah! —exclamó el agente como si acabara de recibir una noticia muy grave. Se volvió hacia su colega y comenzaron a hablar en un español suave, al parecer una conversación privada. Selina se preguntó con nerviosismo si estarían intercambiando comentarios sobre sus respectivas familias. Luego, el hombre que hablaba inglés se encogió de hombros otra vez y se volvió hacia ella. —Averiguaré —dijo.

Desapareció. Selina esperó. El primer hombre empezó a escarbarse los dientes. En algún sitio, un niño sollozaba. Para agravar la desgracia, la típica música asociada normalmente con las corridas de toros estalló en el altoparlante. Al cabo de diez o más minutos, el servicial empleado regresó con uno de los camareros del avión.

Con una sonrisa digna de alguien que está concediendo un favor especial, el hombre anunció:

—Su equipaje se perdió.

—*¡Se perdió!* —Fue un gemido desesperado.

—Creemos que su valija está en Madrid.

—*¡En Madrid!* ¿Qué está haciendo en Madrid?

—Por desgracia, al llegar a Barcelona, la pusieron en el carro equivocado... suponemos. En Barcelona hay un vuelo a Madrid. Pensamos que su equipaje está en Madrid.

—Pero lo marcaron con destino a San Antonio. Lo marcaron en Londres.

Al oír la palabra "Londres", el hombre de la aduana volvió a emitir un sonido desesperanzado. Selina tuvo ganas de pegarle.

—Lo siento —se disculpó el camarero—. Enviaré un mensaje a Madrid para que manden la valija a San Antonio.

—¿Cuánto demorará?

—No dije que estuviera en Madrid —se atajó, decidido a no comprometerse—. Debemos averiguar.

—¿Cuánto tiempo les llevará hacerlo?

—No lo sé. Quizá tres o cuatro horas.

¡Tres o cuatro horas! Si no hubiera estado tan furiosa, podría haber llorado.

—No puedo esperar aquí tres o cuatro horas.

—Entonces será mejor que vuelva en otro momento. Mañana, quizá, para ver si llegó la maleta. De Madrid.

—¿No puedo telefonear?

Eso pareció una broma. En medio de sonrisas, Selina recibió la siguiente respuesta:

—Señorita, tenemos pocos teléfonos.

—¿O sea que debo volver aquí mañana para ver si han encontrado mi equipaje?

—O pasado mañana —sugirió el camarero, con el aire de un hombre lleno de ideas brillantes.

Selina intentó un último recurso.

—Pero todo lo que tengo está en mi maleta.

—Lo lamento.

Se quedó de pie, sonriéndole. En ese instante,

ella sintió como si se ahogara. Contempló un rostro y luego el otro y comprendió que nadie la ayudaría. Nadie podía ayudarla. Estaba sola y debía ayudarse a sí misma. Por fin, inquirió con voz algo trémula:

—¿Es posible conseguir un taxi?

—Pero claro. Afuera. Hay muchos taxis.

De hecho, había cuatro. El abrigo de viaje beige empezaba a sofocarla y salió a buscar un taxi. No bien la vieron, los conductores tocaron sus bocinas, la saludaron, gritaron "señorita", saltaron fuera de sus vehículos y corrieron hacia ella para tratar de ganársela como clienta y dirigirla hacia sus respectivos autos.

—¿Alguno de ustedes habla inglés? —preguntó en voz alta.

—*Sí. Sí. Sí.*

—Quiero ir a Cala Fuerte.

—Cala Fuerte, *sí.*

—¿Conocen Cala Fuerte?

—*Sí. Sí.* —respondieron todos.

—¿Alguno habla inglés...?

—Sí —respondió una voz—. Yo.

Era el conductor del cuarto taxi. Mientras que sus colegas habían intentado convencer a Selina, éste esperaba con placidez en tanto terminaba su cigarro. Ahora dejó caer la colilla olorosa, la pisó y se adelantó. Su aspecto no era tranquilizador. Se trataba de un hombre enorme, muy alto y gordo. Llevaba una camisa azul desprendida en el cuello que dejaba al descubierto un pecho negro y velludo. Sus pantalones estaban sujetos por un cinturón de cuero muy trabajado y en la parte trasera de la cabeza tenía un sombrero de paja incongruente, del tipo de los que los turistas llevan de regreso de sus vacaciones. A pesar de la hora temprana y las nubes, usaba anteojos de sol, y su fino bigote negro sugería cualidades desconocidas de Don Juan. Su apariencia era la de un villano y Selina dudó.

—Hablo inglés —repitió con un pronunciado acento norteamericano—. Trabajé en España, en una base aérea militar de los Estados Unidos. Hablo inglés.

—Oh. Bueno... —¡Seguramente, cualquiera de los otros tres taxistas era preferible a ese rufián, hablara o no inglés!

El hombre ignoró su vacilación.

—¿Adónde quiere ir?

—A... Cala Fuerte. Pero estoy segura...

—La llevaré. Seiscientas pesetas.

—Oh. Bueno... —Miró esperanzada a los demás conductores, pero éstos ya parecían desalentados. Uno incluso había regresado a su auto y estaba limpiando el parabrisas con un trapo viejo.

Selina se volvió hacia el hombre corpulento con el sombrero de paja. Éste le sonrió, una sonrisa que reveló dientes rotos. Selina tragó saliva y declaró:

—De acuerdo. Seiscientas pesetas.

—¿Dónde está su equipaje?

—Perdido. Se perdió en Barcelona.

—Qué mala suerte...

—Sí. Lo pusieron en el avión equivocado. Van a averiguar y me lo entregarán mañana o pasado. Tengo que ir a Cala Fuerte ahora, entiende, y...

Algo en la expresión del hombre la detuvo. El taxista tenía los ojos fijos en su bolso de mano. Selina siguió la dirección de la mirada y vio que, en efecto, algo extraño había sucedido. Aunque las dos correas resistentes todavía descansaban sobre su hombro, el bolso estaba abierto. Las correas delanteras estaban cortadas con prolijidad, como con una hoja de afeitar. ¡Y le faltaba la billetera!

El taxista se llamaba Toni. Se presentó formalmente y luego actuó como su intérprete durante la larga y tediosa entrevista con la Guardia Civil.

—Sí, le han robado a la señorita. Entre la multitud en el aeropuerto esta mañana, había un ladrón con una hoja de afeitar. Le robaron todo. Todo lo que tenía.

—¿El pasaporte?

—No, el pasaporte, no. Pero sí el dinero, sus pesetas, el dinero inglés, sus cheques de viajero y el billete de regreso a Londres.

El hombre de la Guardia Civil examinó con concentración el bolso de Selina.

—¿La señorita no se dio cuenta de nada?

—Nada. Con tanta gente, ¿cómo se iba a dar cuenta?

—Parece que usaron una hoja de afeitar para cortar el bolso.

—Exactamente. Una hoja de afeitar. Un ladrón con una hoja de afeitar.

—¿Cómo era el nombre de la señorita?

—Señorita Selina Bruce, de Londres. Y viaja con pasaporte británico.

—¿Y cuál era el lugar de residencia de la señorita Bruce en San Antonio?

—Era...

En este punto, Selina titubeó, pero los hechos habían superado toda vacilación.

—Casa Barco, Cala Fuerte.

—¿De qué color era la billetera? ¿Cuánto dinero tenía? ¿Los cheques de viajero estaban firmados?

Selina respondió a las preguntas con cansancio. El reloj avanzó a las diez, a las diez y media y más. Las peores de sus aprensiones se habían cumplido de sobra. Había perdido la maleta y el dinero. Y todavía tenía que llegar a Cala Fuerte.

Por fin, la entrevista terminó. El hombre de la Guardia Civil acomodó sus papeles y se puso de pie. Selina le agradeció y le estrechó la mano. El hombre pareció sorprendido pero no sonrió.

Juntos, Selina y Toni cruzaron el edificio ahora vacío del aeropuerto, atravesaron las puertas de vidrio y se detuvieron, uno frente al otro. Había comenzado a hacer bastante calor y Selina llevaba el abrigo sobre un brazo. Se quedó mirando al taxista, aguardando a que diera el primer paso.

El hombre se quitó los anteojos oscuros.

—Todavía tengo que ir a Cala Fuerte —aventuró ella.

—No tiene dinero.

—Pero le pagaré, se lo prometo. Cuando lleguemos a Cala Fuerte... mi... padre... le pagará el viaje.

Toni frunció el entrecejo con intensidad.

—¿Su padre? ¿Tiene un padre aquí? ¿Por qué no lo dijo?

—No habría cambiado nada. No... no podíamos contactarnos con él, ¿verdad?

—¿Su padre *vive* en Cala Fuerte?

—Sí. En una casa llamada Casa Barco. Estoy segura de que estará allí y le pagará. —Toni la estudió con recelo e incredulidad. —Además, no puede dejarme aquí. Ni siquiera tengo el billete para volver a Londres.

El taxista contempló el vacío un instante, luego decidió prender un cigarrillo. Su expresión no dejaba traslucir nada, como si no deseara comprometerse.

—Dijo que me llevaría —insistió Selina—. Y me ocuparé de pagarle. Se lo prometo.

El cigarrillo estaba encendido. El hombre lanzó una nube de humo al aire y sus ojos negros volvieron a posarse en Selina. Estaba ansiosa y pálida, pero era evidente que se trataba de una joven acomodada. El bolso arruinado era de cocodrilo y hacía juego con los zapatos. El pañuelo era de seda y tanto el vestido como el abrigo, de lana costosa. A veces, cuando se movía, Toni vislumbraba el oro de una fina cadena alrededor de su cuello. Y usaba un reloj de oro. Sí, no había duda, tenía dinero... si no en el bolso, en otra parte. Era marzo y todavía no había tantos viajes como para poder darse el lujo de rechazar uno bueno. Y esa muchacha, esa joven inglesa, no parecía capaz de engañar a nadie.

Se decidió.

—Está bien —manifestó por fin—. La llevaré.

4

Sintiéndose un benefactor por su bondad, Toni habló mucho.

—Hasta hace cinco años, San Antonio era una isla muy pobre. La comunicación con España era deficiente, apenas un pequeño barco dos veces por semana. Pero ahora tenemos el aeropuerto, así que vienen visitantes y en el verano hay mucha gente y las cosas están mejorando.

Selina pensó que lo primero que necesitaba ser mejorado era el estado de los caminos. El que recorrían en ese momento era irregular y estaba surcado por huellas de autos en las que el viejo Oldsmobile, el taxi de Toni, se sacudía como un barco en el mar. Serpenteaba entre paredes bajas de piedra a través de una campiña dividida en granjas pequeñas. El suelo era rocoso y poco prometedor y el sol feroz había decolorado los edificios dejándolos del color de la arena pálida. Las mujeres, que trabajaban en los campos, usaban faldas negras hasta los tobillos y pañuelos negros en la cabeza. Los hombres vestían de azul desteñido y labraban la tierra insensible o iban traqueteando en carros de madera tirados por mulas. Había manadas de cabras y gallinas flacuchas. Y cada kilómetro o algo más, un caballo paciente y con anteojeras giraba alrededor de un pozo, y una noria vertía baldes rebosantes en las zanjas de riego.

Selina reparó en eso y comentó:

—Pero anoche llovió.

—Fue la primera lluvia en meses. Siempre nos falta agua. No hay ríos, sólo manantiales. El sol ya calienta bastante y la tierra se seca enseguida.

—Anoche volamos a través de una tormenta, sobre los Pirineos.

—Hace días que hay mal clima en el Mediterráneo.

—¿Siempre es así en marzo?

—No, a veces hace calor. —Y como para probar sus palabras, en ese instante el sol eligió filtrarse a través de una abertura en las nubes y pintar todo con una luz fina y dorada. —Esa —prosiguió Toni— es la ciudad de San Antonio. La catedral en lo alto de la colina es muy antigua, una catedral fortificada.

—¿Fortificada?

—Contra los ataques. De los fenicios, los piratas y los moros. Durante siglos, los moros ocuparon San Antonio.

La ciudad se tendía como un friso contra el telón de fondo del mar. Una colina de casas blancas coronada por las torres y chapiteles elevados de la catedral.

—¿No atravesaremos San Antonio?

—No, vamos directo a Cala Fuerte. —Al cabo de un rato, añadió: —¿No ha ido nunca a la isla? ¿Y su padre vive allí?

Selina contempló el andar lento de las aspas de un molino.

—No. Nunca he estado allí.

—Le gustará Cala Fuerte. Es un sitio pequeño pero muy hermoso. Muchos dueños de barcos van allí.

—Mi padre tiene un yate. —Lo dijo sin pensar, pero las palabras la asaltaron como si quisieran manifestar algo, decirlo en voz alta, convertirlo en real y verdadero. "Mi padre vive en Cala Fuerte. En una casa llamada Casa Barco. Tiene un yate."

Las nubes continuaban desplegándose y abriéndose y el sol se colaba entre ellas. Por fin, comenzaron a deslizarse hacia el mar, donde permanecieron, indolentes, en el borde del horizonte. Un calor moderado bañaba la isla. Selina levantó las mangas de su adecuado vestido de jersey y bajó la ventanilla para que el viento perfumado y polvoriento le alborotara el cabello. Atravesaron pequeñas aldeas y pueblos de piedra dorada, silenciosos y con los postigos cerrados. Las puertas de las casas estaban abiertas y tenían cortinas de cadenas. En las aceras, las ancianas se sentaban muy erguidas en sillas de cocina. Conversaban o vigilaban a sus nietos pequeños en tanto sus manos ajadas se ocupaban en labores de bordado y encaje.

Llegaron a Curamayor, un pueblo soñoliento de casas color crema y calles estrechas. Toni se pasó el dorso de la mano por la boca y anunció que tenía sed.

Selina, sin saber qué responder, se quedó callada.

—Un poco de cerveza me vendría bien —agregó Toni.

—Le... le compraría una. Pero no tengo dinero.

—Yo la compraré —dijo el taxista. La calle angosta desembocaba en una plaza grande y adoquinada, con una iglesia alta, árboles umbrosos y algunos locales comerciales. Toni la rodeó hasta que halló un café de su agrado.

—Aquí está bien.

—Lo... esperaré en el auto.

—Debería tomar algo. El viaje es caluroso y seco. Le traeré un trago. —Ella comenzó a protestar, pero Toni se limitó a añadir: —Su padre me devolverá el dinero.

Selina se sentó al sol ante una mesita de hierro. Detrás de ella, dentro del bar, Toni hablaba con el propietario. Una banda de niños recién salidos de la escuela se acercó. Estaban encantadores, con delantales de algodón azul y medias blancas inmaculadas. Eran hermosos... las niñitas, muy pulcras, tenían el cabello oscuro trenzado, argollas de oro en las orejas y miembros aceitunados y formados a la perfección. Y cuando sonreían, los dientes resaltaban blancos y puntiagudos.

Al notar que Selina los observaba, prorrumpieron en risitas. Dos pequeñas se adelantaron y se detuvieron frente a ella. Sus ojos oscuros, del color de la uva, destellaban divertidos. Selina ansiaba hacerse amiga de ellas y, llevada por un impulso, abrió su bolso y extrajo un lápiz de unos siete centímetros de largo con borlas amarillas y azules. Lo tendió, invitando a una de las niñas a que lo tomara. Al principio, la timidez las acobardó, pero luego, la más pequeña lo recogió de la palma de Selina con precaución, como si pudiera morderla. La otra niña, con un gesto del todo cautivante, apoyó su mano en la de Selina, como si le concediera una dádiva. La mano era regordeta y suave y tenía un pequeño anillo de oro.

Toni regresó por las cortinas con su cerveza y una bebida de naranja para Selina. Los niños se asustaron y se dispersaron como palomas. Echaron a correr y se llevaron el lápiz con borlas. Selina los miró alejarse, fascinada, y Toni comentó:

—Los niños... —Hubo tanto orgullo y afecto en su voz como si los pequeños hubieran sido suyos.

Prosiguieron el viaje. El carácter de la isla había cambiado por completo. El camino se extendía a lo largo de la base de una cadena de montañas y, del lado del mar, los campos bajaban en una curva poco profunda hacia un horizonte distante y brumoso. Hacía casi tres horas que estaban andando cuando Selina avistó la cruz, en lo alto de una montaña recortada contra el cielo.

—¿Qué es eso? —preguntó.

—Esa es la Cruz de San Esteban.

—¿Sólo una cruz? ¿En la cima de una montaña?

—No. Hay un monasterio muy grande. Una orden de clausura.

La aldea de San Esteban estaba al pie de la montaña, a la sombra del monasterio. En la encrucijada en el centro del pueblo, un cartel indicaba, por fin, la dirección a Cala Fuerte. Era el primero que Selina veía. Toni giró el auto hacia la derecha y el camino descendió frente a ellos. Corría colina abajo a través de campos de cactus, olivares y montes de eucaliptos perfumados. Más allá, la costa parecía densamente poblada de pinos, pero a medida que se aproximaban, Selina divisó el blanco de casas dispersas y los brillantes rosados, azules y escarlatas de los jardines cubiertos de flores.

—¿Eso es Cala Fuerte?

—Sí.

—No se parece a las demás aldeas.

—No, es un sitio de temporada. Para visitantes. Muchas personas tienen casas de veraneo aquí. Vienen de Madrid y Barcelona.

—Entiendo.

Los pinos los envolvieron con su sombra fresca y el olor de la resina. Dejaron atrás un ruidoso corral de gallinas de una granja, una o dos casas, un despacho de vinos y luego el camino los llevó a una plaza construida alrededor de un único pino. En un lado, había una verdulería con mercadería apilada en la puerta y la ventana llena de alpargatas, rollos de fotografía, sombreros de paja y postales. En el otro, blanqueada hasta resultar enceguecedora, se erguía una casa de curvas y sombras moriscas, con una terraza de baldosas amueblada con mesas y sillas. Sobre la puerta colgaba un cartel: "Hotel Cala Fuerte".

Toni detuvo el taxi a la sombra del árbol y apagó el motor. El polvo se asentó y reinó un gran silencio.

—Ya llegamos —anunció—. Esto es Cala Fuerte.

Se apearon del auto y recibieron con gusto la fresca brisa del mar. Había pocas personas en el lugar. Una mujer salió de la verdulería para sacar papas de una cesta y ponerlas en una bolsa de papel. Unos niños jugaban con un perro. Un par de visitantes con cardigans tejidos a mano, obviamente ingleses, escribían postales sentados en la terraza del hotel. Levantaron la cabeza y vieron a Selina. La reconocieron como una compatriota y se apresuraron a desviar la vista.

Entraron en el hotel. Toni llevaba la delantera. Detrás de la cortina de cadenas había un bar muy nuevo, limpio y fresco, de paredes blanqueadas, con alfombras en el piso de piedra y una escalera de madera rústica que conducía a un piso superior. Debajo de la escalera, otra puerta llevaba a la parte trasera del hotel. Una muchacha morena con una escoba desplazaba con placidez el polvo de un lado al otro del piso.

Alzó la cabeza y sonrió.

—Buenos días.

—¿Dónde está el propietario?

La muchacha dejó la escoba.

—Momento —repuso. Desapareció con paso suave por la puerta debajo de la escalera y ésta se cerró a sus espaldas. Toni se sentó en uno de los taburetes altos del bar. Unos minutos después, la puerta se volvió a abrir y entró un hombre. Era pequeño, bastante joven, barbudo y con ojos como los de un sapo amigable. Llevaba camisa blanca, pantalones oscuros con cinturón y alpargatas azules.

—Buenos días —dijo. Miró a Toni, luego a Selina y de vuelta a Toni.

—¿Habla usted inglés? —inquirió ella deprisa.

—Sí, señorita.

—Lamento molestarlo, pero estoy buscando a alguien. Al señor George Dyer.

—¿Sí?

—¿Lo conoce?

El hombre sonrió y extendió las manos.

—Por supuesto. ¿Busca a George? ¿Él sabe que usted lo busca?

—No. ¿Debería saberlo?

—No a menos que usted le haya dicho que vendría.

—Se trata de una sorpresa —adujo Selina en un intento por que sonara divertido.

El hombre parecía intrigado.

—¿De dónde viene?

—De Londres. Llegué hoy al aeropuerto de San Antonio. —Señaló a Toni, quien escuchaba con expresión hosca, como si le disgustara que le quitaran de las manos el control de la situación. —El taxista me trajo aquí.

—No he visto a George desde ayer. Iba camino a San Antonio.

—Pero, como dije, acabamos de venir de allí.

—Es probable que ya esté en su casa. No estoy seguro. No lo he visto regresar. —Sonrió. —Nunca se sabe si su auto resistirá el largo viaje.

Toni carraspeó y se inclinó hacia adelante.

—¿Dónde podemos hallarlo? —preguntó.

El barbudo se encogió de hombros.

—Si se encuentra en Cala Fuerte, estará en Casa Barco.

—¿Cómo podemos encontrar Casa Barco? —El propietario frunció el entrecejo y Toni, percibiendo la ligera desaprobación, explicó: —Debemos hallar al señor Dyer o me quedaré sin cobrar el viaje. La señorita no tiene dinero...

Selina tragó saliva.

—Sí... sí, me temo que es cierto. ¿Podría indicarnos cómo llegar a Casa Barco?

—Es demasiado difícil. Jamás la encontrarían. Pero —agregó—, sé de alguien que podría llevarlos hasta allí.

—Es usted muy gentil. Muchas gracias, señor... Me temo que no sé su nombre.

—Rudolfo. Nada de señor. Sólo Rudolfo. Si me esperan aquí un momento, veré qué puedo arreglar.

Salió a través de las cortinas, atravesó la plaza y

entró en la tienda de enfrente. Toni se acomodó en el taburete; su cuerpo pesado sobresalía a ambos lados del inadecuado asiento. Era obvio que estaba de malhumor. Selina empezó a ponerse nerviosa.

—Ha sido usted tan amable... esta demora es un fastidio —comentó para tratar de apaciguarlo.

—No sabemos si el señor Dyer estará en Casa Barco. No lo han visto volver de San Antonio.

—Bueno, si no está, siempre podemos esperar un poquito...

Fue un error decir eso.

—No puedo esperar. Soy un trabajador. Para mí, el tiempo es dinero.

—Sí, desde luego. Entiendo.

Toni emitió un sonido como para indicar que era imposible que entendiera y le dio la espalda a medias como un escolar ya crecido y enfurruñado. El regreso de Rudolfo fue un alivio. Había convenido con el hijo de la mujer que manejaba la tienda de comestibles en que los llevaría a Casa Barco. El muchacho tenía un pedido grande para el señor Dyer que estaba a punto de despachar con su bicicleta. Si lo deseaban, podían seguirlo con el taxi.

—Sí, por supuesto, será magnífico. —Selina se volvió hacia Toni y expresó con un entusiasmo que no sentía: —Cobrará el viaje y después podrá volver directo a San Antonio.

Toni no parecía convencido, pero se bajó con dificultad del taburete del bar y siguió a Selina a la plaza. Al lado del taxi, un joven flacucho esperaba junto a su bicicleta. Dos canastas enormes, del tipo de las que usaban los campesinos españoles, colgaban del manillar. Paquetes mal envueltos de todos los tamaños y formas sobresalían de ellos. Hogazas largas de pan, un manojo de cebollas, el cuello de una botella.

—Este es Tomeu, el hijo de María —dijo Rudolfo—. Les mostrará el camino.

Como un pequeño pez piloto, Tomeu zigzagueaba adelante por el camino de huellas blancas que serpenteaba con las curvas de la costa. Caletas de agua verde azulada entraban en la isla y, sobre las rocas, se vislumbraban deliciosas casas blancas, pequeños jardines rebosantes de flores, terrazas para tomar sol y trampolines.

—No me molestaría vivir aquí —señaló Selina, pero el humor de Toni empeoraba con rapidez y no respondió. El camino ya no era un camino sino apenas un sendero tortuoso que culebreaba entre las paredes cubiertas de enredaderas de los jardines. Alcanzaba la cumbre de una ligera elevación y luego descendía hacia una caleta final y mucho más larga, donde un puerto diminuto resguardaba unos pocos barcos pesqueros. Algunos yates bastante grandes estaban anclados a cierta distancia, en aguas más profundas.

El sendero conducía a las partes traseras de las casas. Tomeu, adelante de ellos, esperó. Cuando vio el taxi en lo alto de la colina, se bajó de la bicicleta, la apoyó contra una pared y empezó a descargar los cestos.

—Esa debe de ser la casa —dijo Selina.

No parecía grande. La pared trasera estaba blanqueada y lisa, excepto por una ventana diminuta y una puerta con los postigos cerrados, a la sombra de un pino tupido y negro. Detrás de la casa, el camino se bifurcaba y se extendía a derecha e izquierda, a lo largo de las entradas traseras de otras casas. Aquí y allá, un sendero escalonado descendía hacia el mar entre los edificios. El lugar entero poseía un aire casual y agradable: la ropa lavada se sacudía en las sogas, algunas redes se secaban al sol y uno o dos gatos flacos tomaban aire sentados y se lamían.

El taxi de Toni traqueteó y resbaló los últimos metros mientras su conductor se quejaba de que no habría lugar para dar la vuelta, de que su auto no estaba hecho para esos caminos espantosos y que presentaría un reclamo si se le llegaba a saltar la pintura.

Selina apenas lo escuchaba. Tomeu había abierto la puerta verde con postigos y desaparecido dentro de la casa con los pesados canastos. El taxi se detuvo con un sacudón y ella se bajó enseguida.

—Daré la vuelta y volveré por el dinero —anunció Toni.

—Sí —respondió Selina con aire ausente mientras observaba la puerta abierta—. Sí, hágalo.

Aceleró con tanta rapidez que ella tuvo que retroceder a la alcantarilla para evitar que le pisara los pies. Cuando el taxi se hubo alejado, Selina cruzó la calle y, a la sombra del pino, atravesó la puerta abierta de Casa Barco.

Había pensado que sería una casa pequeña, pero en cambio se encontró en un ambiente grande y de cielo raso alto, con los postigos cerrados y, por lo tanto, oscuro y fresco. No había una cocina propiamente dicha, sino un pequeño mostrador que circundaba un fogón, como una especie de bar, y lo separaba del área central del living. Allí encontró a Tomeu, arrodillado y guardando las provisiones en una heladera.

El muchacho levantó la cabeza y sonrió cuando ella se inclinó sobre el mostrador.

—¿El señor Dyer? —preguntó.

Tomeu meneó la cabeza.

—No aquí.

No aquí. No aquí. El alma se le fue al piso. George Dyer no había regresado de San Antonio y, de alguna manera, ella tendría que evadir a Toni con excusas y sugerencias de que fuera paciente, cuando ninguno de los dos tenía idea de cuánto tiempo deberían esperar.

Tomeu dijo algo. Selina lo miró sin entender. Para mostrar lo que quería decir, el muchacho salió del bar. Fue hasta la pared y empezó a abrir los postigos. Un estallido de luz y sol invadió la casa y la bañó de color. La pared sur, que daba al puerto, era casi toda ventana, pero unas puertas dobles con persianas conducían a una terraza sombreada por un toldo de cañas partidas. Había una pared baja y un par de ollas de barro y urnas resquebrajadas con geranios. Y más allá de la pared, el azul resplandeciente del mar.

La casa en sí estaba dividida de una manera original. No tenía paredes internas, pero el techo de la cocina formaba una pequeña galería con una baranda de madera a la que se llegaba por un tramo abierto de escalones, como la escalera de un barco. Debajo de la escalera del barco, otra puerta llevaba a un lavadero minúsculo. Un orificio grande en lo alto de la pared proporcionaba luz y ventilación y había un lavatorio, una ducha de aspecto primitivo, un estante con frascos, pasta de dientes y cosas diversas, un espejo y, en el piso, un fuentón de lavar redondo.

El resto del espacio formaba un living de encanto singular, de paredes blanqueadas y piso de piedra cubierto con alfombras coloridas. Una chimenea ancha y triangular, llena de cenizas fragantes que daban la impresión de necesitar un mero soplido para volver a encenderse, ocupaba un rincón de la habitación. La solera del hogar se hallaba a medio metro del piso, la altura justa para sentarse con comodidad y, a lo largo de la pared, se continuaba con una especie de estante con almohadones y mantas, pilas de libros, una lámpara, un trozo de soga a medio entrelazar, papeles y revistas y una caja con botellas vacías.

Frente a la chimenea, de espaldas a la terraza y al mar, había un sofá enorme y hundido con capacidad para seis. Estaba cubierto con una funda suelta de hilo azul desteñido y adornado con una manta rayada roja y blanca encima. Al otro lado de la habitación, bien iluminado, se erguía un escritorio barato con espacio para acomodar las piernas y cargado con más papeles, una máquina de escribir, una caja abierta llena de lo que parecían cartas sin abrir y un par de binoculares. Una hoja de papel estaba inserta en la máquina de escribir y Selina no pudo resistir la tentación de espiar.

"La nueva novela de George Dyer", leyó. "El zorro holgazán saltó por encima de un sabueso u otro."

Y luego una fila de asteriscos y signos de exclamación.

Selina frunció las comisuras de la boca. ¡Pobres las esperanzas del señor Rutland!

Entre la cocina y la puerta, se elevaba un pozo con un gancho de hierro forjado para el balde y un estante ancho en el que descansaban una botella medio vacía de vino y una planta de cactus. Selina bajó la vista y vio el oscuro brillo del agua. La olió, parecía dulce y buena, y se preguntó si sería apta para beber. Pero abuela siempre había dicho que uno no debía beber agua en el extranjero a menos que estuviera hervida. Y ése no era momento para arriesgarse a contraer una gastroenteritis.

Dejó el pozo y se detuvo en medio de la habitación, mirando hacia la galería. La tentación de investigar resultó irresistible y subió la escalera. Encontró un cuarto fascinante, con cielo raso inclinado y una inmensa cama doble de armadura tallada (¿cómo habrían logrado subirla hasta allí?) colocada debajo del declive del gablete. Había poco espacio para más muebles, pero un par de baúles marineros estaban dispuestos contra las paredes bajas y una cortina abultada servía de guardarropa. Una caja de naranjas en posición vertical hacía las veces de mesita de noche, con estantes llenos de libros, una lámpara, una radio de transistores y un cronómetro de barco.

Desde la terraza, Tomeu gritó "¡Señorita!" y Selina bajó la escalera para unirse a él. Estaba sentado en la pared, junto a una enorme gata siamesa blanca. El chico se volvió, sonrió a Selina y tomó la gata en sus brazos como para entregársela.

—Señor Dyer —expresó e indicó la gata que maullaba patéticamente. Después de un forcejeo, el animal se alejó de un salto y caminó con paso airoso hasta un rincón soleado donde se instaló con dignidad y envolvió la cola alrededor de sus patas delanteras.

—Es muy grande —comentó Selina. Tomeu frunció el entrecejo. —Grande —repitió y mostró con los brazos un gato del tamaño de un tigre—. Grande.

Tomeu rió.

—Sí. Muy grande.

—¿Es la gata del señor Dyer?

—Sí. Señor Dyer.

Selina se acercó y se inclinó sobre la pared. Había un pequeño triángulo de jardín rocoso con uno o dos olivos torcidos y Selina comprendió que, como cualquier casa construida en una ladera empinada, Casa Barco se extendía en etapas y la terraza constituía, de hecho, el techo de la caseta de botes, con gradas que bajaban hasta el agua. Unos escalones unían la terraza con el nivel inferior y, justo debajo de ellos, dos hombres acuclillados limpiaban pescados. Sus cuchillos cortaban con precisión y las hojas destellaban a la luz del sol. Lavaban los peces en el mar, agitando el agua quieta y color verde jade. Tomeu se agachó para recoger una piedrita y la arrojó a los hombres. Los dos rostros se alzaron para ver quién era y, al reconocer al joven, sonrieron.

—¡Tomeu, hombre!

El chico respondió con alguna expresión atrevida, puesto que los hombres rieron y luego retomaron su tarea. Debajo de las manos de Selina, la piedra de la pared blanqueada era tibia y parte de la cal había manchado la delantera de su vestido, como la tiza de un pizarrón. Se volvió para sentarse en la pared, de espaldas al mar, y vio la soga para tender ropa estirada entre dos ganchos, con una hilera de prendas arrugadas y ya secas. Una camisa de trabajo azul descolorida, un traje de baño de hombre, unos pantalones blancos de dril con parches en las rodillas y unas zapatillas de tenis viejas y hechas jirones atadas a la soga por los cordones. La terraza también contenía unos pocos muebles, pero no del tipo de los que aparecían en la revista *House & Garden*. Una silla de caña vieja y destartalada, una mesa de madera pintada y astillada y la típica silla engañosa que se derrumba cuando uno se sienta en ella. Deseó saber hablar español para conversar con el amigable Tomeu. Quería preguntarle sobre el señor Dyer. ¿Qué clase de hombre era? ¿Cuál era su barco? ¿Cuándo pensaba Tomeu que volvería de San Antonio? Pero antes de que pudiera iniciar cualquier tipo de comunicación, el sonido del taxi de Toni que regresaba fue como el tañido de una campana anunciando un mal presagio. Se detuvo junto a la puerta y, a los pocos minutos, Toni entró en la casa. Parecía de pésimo humor y más villano que nunca. Selina tuvo que decirse que no podía comérsela.

—El señor Dyer no ha regresado —declaró con firmeza.

Toni recibió esa información con un silencio hostil. Luego extrajo un mondadientes y se escarbó un molesto molar trasero. Limpió el palillo en la parte trasera de sus pantalones, lo guardó de nuevo en el bolsillo y preguntó:

—¿Qué diablos haremos ahora?

—Yo esperaré aquí. No puede demorarse mucho. Rudolfo dijo que no tardaría. Usted puede aguardar aquí o dejarme su nombre y dirección y volver a San Antonio. Haga lo que hiciere, me ocuparé de que cobre su dinero.

De manera inconsciente, habló con la voz de su abuela y, para su sorpresa, funcionó. Toni se resignó a la situación. Se succionó los dientes un momento y luego anunció su decisión.

—Esperaré. Pero no aquí. En el hotel.

En el hotel había coñac y podía dormir la siesta en el taxi, a la sombra del árbol. Ya eran las dos y media y no le gustaba estar despierto a las dos y media.

—Cuando llegue el señor Dyer, puede avisarme.

El alivio de Selina era tan grande que lo habría abrazado, pero se limitó a contestar:

—De acuerdo. Lo haré sin falta. —Y luego añadió, al verlo tan abatido: —Lamento que haya sucedido esto, pero todo saldrá bien.

Toni se encogió de hombros, suspiró y regresó a su auto. Se sintió el ruido del motor y luego el coche subir la colina hacia el hotel Cala Fuerte. "Pobre Rudolfo", pensó Selina y volvió junto a Tomeu.

—Me quedaré aquí —le informó.

El muchacho frunció el entrecejo.

—Usted aquí...

—Sí. Aquí. —Señaló el piso. Tomeu sonrió al entender y fue a buscar sus cestos vacíos.

—Adiós, Tomeu. Y gracias.

—Adiós, señorita.

El joven se marchó y Selina se quedó sola. Salió a la terraza y se dijo que estaba esperando a su padre, pero todavía le costaba creerlo. Se preguntó si él se daría cuenta, sin que se lo dijera, de quién era ella. Y si no lo hacía, se preguntó cómo haría para decírselo.

Hacía mucho calor. El sol azotaba la terraza resguardada y Selina no recordaba haber sentido nunca tanto calor. De pronto, las medias de nailon, los zapatos de cuero y el vestido de lana se volvieron insoportables. Ya no eran razonables, sino

79

inadecuados al punto de la locura.

Pero abuela no toleraba las piernas desnudas ni aun con un vestido de verano. Y para ella, los guantes eran esenciales. "Se puede reconocer a una dama por sus guantes." "¡Qué desprolijidad, pasearse sin sombrero!"

Pero abuela estaba muerta. Selina la había amado y llorado, pero eso no cambiaba que estuviera muerta. La voz se había acallado, las opiniones dogmáticas no volverían a ser pronunciadas y Selina estaba sola, para hacer lo que quisiera, en la casa de su padre y a un mundo de distancia de Queen's Gate. Entró en la casa y se quitó las medias y los zapatos. Luego, sintiéndose fresca y libre, fue a buscar comida. Había manteca en la heladera y untó un trozo de pan. Tomó un tomate y una botella de soda fría. Comió el picnic en la terraza, sentada en la pared mientras observaba los botes en el puerto. Al cabo de un rato, comenzó a sentirse soñolienta, pero no quería que la hallaran dormida. La idea de ser sorprendida dormida le provocaba una gran sensación de indefensión. Tendría que sentarse en algún sitio duro e incómodo y permanecer despierta.

Al final, subió la escalera a la galería y se instaló con bastante incomodidad en el peldaño superior. Unos minutos después, la enorme gata blanca se alejó del sol y subió para acomodarse en su rodilla entre ronroneos y pisoteos.

Las manecillas de su reloj de pulsera avanzaban con lentitud.

5

—No entiendo por qué tienes que irte —protestó Frances Dongen.

—Ya te lo dije. Tengo que dar de comer a Perla.

—Perla puede alimentarse sola. Hay suficientes peces muertos alrededor de tu casa para alimentar a un ejército de gatos. Quédate otra noche, querido.

—Pero no se trata sólo de Perla, sino del *Eclipse...*

—Bueno, ya ha salvado una tormenta...

—No sé si la ha salvado y tendremos mal tiempo de nuevo...

—Oh, bueno —exclamó Frances y tomó otro cigarrillo—. Si eso sientes, será mejor que te vayas.

Hacía años, cuando ella era una niña en Cincinnati, Ohio, su madre le había dicho que la mejor manera de retener a un hombre era darle la impresión, al menos, de que era libre. Aunque no podía decirse que Frances hubiera alcanzado la etapa de retener a George Dyer, ya que todavía no lo había atrapado, era una experta en ese fascinante juego de marchas y contramarchas y estaba decidida a tomarse su tiempo.

Estaba sentada en la pequeña terraza de su casa, en lo alto de la antigua ciudad de San Antonio. Arriba, apenas unos cientos de metros la separaban de la catedral y abajo, un laberinto de calles adoquinadas y tortuosas, casas altas y estrechas e hileras interminables de ropa lavada se extendían hasta la pared de las viejas fortificaciones. Más allá del muro, se hallaba la ciudad nueva, con sus calles anchas y plazas rodeadas de árboles que llevaban al puerto lleno de goletas isleñas, barcos blancos de mástiles altos y el buque de vapor que acababa de arribar de su viaje semanal proveniente de Barcelona.

Hacía dos años que vivía en ese sitio placentero, desde que llegó en el yate crucero de unos amigos norteamericanos ricos. Después de seis semanas en su compañía, Frances estaba aburrida como una ostra y, cuando bajaron a tierra para ir a una fiesta, ella nunca regresó. Al cabo de tres días de parranda, había despertado en una cama extraña con una resaca terrible, dándose cuenta de que el crucero y todos sus ocupantes habían partido sin ella.

Eso no la preocupó en lo más mínimo. Ya se había hecho muchos amigos nuevos, era rica, divorciada dos veces, sin raíces. San Antonio era ideal para ella. Estaba colmada de pintores, exiliados, escritores y bohemios, y Frances, que una vez había vivido varios meses con un artista fracasado en Greenwich Village, se sentía a sus anchas. Encontró esa casa con bastante rapidez y, cuando hubo terminado de instalarse, comenzó a buscar algo en qué ocupar su tiempo. Se decidió por una galería de arte. En un sitio donde había pintores residentes y turistas de paso, una galería de arte tenía que ser una excelente inversión. Compró un mercado de pescado en desuso en el puerto y lo transformó. Manejaba el negocio con una perspicacia heredada no sólo de su padre sino también de sus dos ex maridos.

Todavía no había cumplido los cuarenta, pero todo en ella desmentía el paso del tiempo. Alta, muy delgada, bronceada como un niño, con su cabeza rubia hecha una maraña de bucles, usaba con éxito el tipo de ropa normalmente reservada a las adolescentes. Pantalones ceñidos, camisas de hombre y bikinis que no eran más que un par de pañuelos anudados. Fumadora empedernida, sabía que bebía demasiado, pero la mayor parte del tiempo, y esa mañana en particular, la vida era tan maravillosa como siempre lo había deseado.

La fiesta de la víspera en honor de la primera exposición de Olaf Svensen había sido exitosa. Olaf era el joven más sucio jamás visto, incluso en San Antonio, con una barba escrofulosa y las uñas de los pies imposibles de mirar, pero sus esculturas de pop-art dejaban boquiabierta a la gente, y Frances hallaba cierto placer en escandalizar al público. Desde luego, George Dyer había sido invitado a la fiesta. Desde la publicación de su libro, se había convertido en una especie de celebridad... aunque eso no garantizaba su asistencia... y Frances se alegró muchísimo al verlo cruzar la puerta y abrirse paso hacia ella a través de la habitación abarrotada y llena de humo. George explicó que estaba en San Antonio para comprar un repuesto para su barco y, después de escuchar sus comentarios sobre la obra de Olaf, Frances supo que había venido sólo por la bebida gratis. Pero eso no importaba mientras estuviera allí. Además, se quedó hasta el final de la recepción, y después, con ella. Hacía un año que se conocían. La primavera pasada, Frances había ido a Cala Fuerte a ver la obra de un joven pintor francés que vivía allí terminando, inevitablemente, en el bar de Rudolfo, donde había pagado un martini tras otro al pintor. Pero cuando George Dyer entró, abandonó al francés, dormido con la cabeza sobre la mesa, y comenzó a hablar con George. Acabaron almorzando juntos. A las seis de la tarde, seguían tomando café y, para entonces, decidieron retomar el coñac.

George solía llegar a San Antonio una vez por semana para recoger su correspondencia en el Yacht Club, ir al Banco y abastecerse de provisiones para su barco. En esas ocasiones, casi siempre visitaba a Frances y salían a cenar o se unían a una fiesta en plena marcha en uno de los bares junto al mar. Frances se sentía muy atraída por él... mucho más, lo sabía, que él por ella, pero eso contribuía a volverlo más deseable. También estaba celosa... de sus otros intereses, de cualquier cosa que lo mantuviera alejado de ella: de sus libros, de su barco, pero, por sobre todo, de la existencia independiente que llevaba en Cala Fuerte. Le habría gustado que él la necesitara, pero George Dyer parecía no necesitar a nadie. El dinero de ella no lo impresionaba, pero lo fascinaba su sentido del humor vulgar y muy masculino. Mientras lo observaba en ese momento, pensó con satisfacción que era el primer hombre de verdad que había conocido en años.

Se estaba preparando para irse y guardaba en un

canasto las cosas que había comprado. El mero hecho de contemplar sus manos tostadas realizar esa sencilla tarea despertaba en Frances un intenso deseo físico. En contra de lo que creía conveniente, pero con la esperanza de demorarlo un poco más, aventuró:

—No has comido nada.

—Lo haré en casa.

En casa. Ojalá ésa fuera su casa.

—¿Quieres un trago?

George rió y la miró. Sus ojos inyectados de sangre tenían un brillo divertido.

—Escucha, querida, tengo por delante un viaje de tres horas.

—Un trago no te matará. —Ella misma deseaba uno.

—No, pero sí un maldito camión, después que me haya quedado dormido.

El cesto ya estaba listo. George se puso de pie y declaró:

—Debo irme.

Frances se paró también, se agachó para apagar el cigarrillo y fue a ayudarlo con las cosas. George levantó el pesado embalaje con la hélice de repuesto y Frances acarreó el cesto y tomó la delantera por la escalera de piedra hasta el patio cercado donde el limonero crecía junto al pozo. Abrió las pesadas puertas dobles que conducían a la calle angosta y salió a la luz del sol. Allí, en la inclinada pendiente de la colina, estaba estacionado el auto ridículo de George, un antiguo Morris Cowley con ruedas amarillas y un capó como un cochecito de bebé. Lo cargaron y George se volvió para despedirse.

—Lo pasé muy bien —afirmó.

—Eso fue porque no lo planeamos, querido. ¿Cuál es la palabra? Espontaneidad. —Lo besó en la boca. Era tan alta que no necesitó estirarse para hacerlo, de modo que se limitó a inclinarse hacia adelante y lo tomó desprevenido. El lápiz labial brillante, espeso y de sabor dulce, manchó los labios de George. Cuando ella se apartó, George se limpió la mancha con el dorso de la mano y entró en el auto.

—Adiós, querido.

—Adiós, Frances.

—Adiós.

Frances retiró la piedra que la noche anterior, entre risas, habían puesto debajo de la rueda delantera. George quitó el freno y el coche rodó en marcha libre. A medida que se alejaba, el vehículo adquirió una velocidad aterradora y tomó las curvas de la calle angosta y escarpada como uno de esos cochecitos en los parques de diversiones, dispersando gatos y gallinas y haciendo que los miembros de la Guardia Civil, apostados en el portón de la antigua pared, silbaran en señal de violenta desaprobación.

Viajó deprisa hacia Cala Fuerte, por los caminos polvorientos y a través de los campos bien cuidados. Dejó atrás los molinos y los caballos pacientes que hacían girar las norias. Llegó al camino serpenteante debajo de las montañas y a la cruz de San Esteban que se elevaba sobre él. Escrutó el mar en busca de señales de otra incipiente tormenta y pensó en Frances. Pensó en ir a vivir a San Antonio con ella, aunque más no fuera por la satisfacción de escribir a Rutland, el editor, y decirle que se fuera al demonio. No escribiría más libros, se convertiría en un vagabundo de las playas, en un soñador indolente mantenido por una norteamericana rica.

En San Esteban, la siesta había terminado, los postigos estaban abiertos y unos pocos parroquianos pacíficos se hallaban sentados afuera de los cafés. Cuando George pasó haciendo sonar la bocina, le gritaron "¡Hombre!" y lo saludaron. Todos lo conocían, si no de nombre, de vista. Era el inglés loco del autito de ruedas amarillas que se paseaba por la isla con una gorra de navegante y a veces escribía libros.

Mientras bajaba en marcha libre el último tramo del camino que llevaba a Cala Fuerte, sostuvo un debate consigo mismo en cuanto a si se detendría o no en el hotel de Rudolfo para beber un trago. Al final, y para su sorpresa, resolvió no hacerlo. Sin duda se encontraría con amigos, se quedaría más de lo conveniente y bebería más de la cuenta. No confiaba en el clima y Perla debía de estar hambrienta. De modo que se decidió por hacer sonar la bocina al pasar por la plaza y saludar con la mano a quienquiera que estuviese sentado en la terraza del Cala Fuerte. No vio a Rudolfo, pero uno o dos bebedores sobresaltados le devolvieron el saludo. Era agradable volver a casa y George empezó a silbar.

Silbaba cuando entró en la casa. Selina, todavía sentada en la escalera, oyó el auto subir la colina, bajar la cuesta y detenerse con un chirrido intenso de frenos antiguos afuera de Casa Barco. Permaneció inmóvil, con la gata blanca y pesada dormida en su regazo. El motor del coche enmudeció y fue entonces cuando sintió el silbido. Una puerta se abrió y se cerró. El silbido continuó y se intensificó. La puerta de Casa Barco se abrió y un hombre entró.

Llevaba un cesto en una mano, una caja de cartón bajo el otro brazo y un rollo de diarios entre los dientes. Cerró la puerta con un empujón del trasero, bajó el canasto al piso, se quitó los diarios de la boca y los dejó caer en el cesto. Luego llevó la caja a la mesa junto a la máquina de escribir y la depositó allí con cuidado. Selina no podía verle el rostro, oscurecido por la visera de la gorra descolorida y gastada. El hombre abrió la tapa de la caja y revolvió el contenido en medio de trozos de papel fino. Al parecer satisfecho, tomó los binoculares y salió a la terraza. Selina no se movió, pero la gata empezó a despertarse. La acarició, en parte porque estaba nerviosa y también porque no quería que se moviera. Al cabo de unos minutos, el hombre ingresó en la casa de nuevo, dejó los binoculares, se quitó la gorra y la arrojó sobre la mesa. Tenía cabello oscuro, muy tupido y con algunas primeras hebras grises. Vestía la típica camisa azul descolorida de los campesinos, pantalones de algodón desteñidos color caqui y alpargatas cubiertas de polvo. Sin dejar de silbar, regresó adonde estaba el cesto y lo llevó a la cocina, volviendo a desaparecer de la vista de Selina. Lo sintió abrir y cerrar la puerta de la heladera, luego oyó el sonido de una botella al ser abierta, el tintineo de vidrio y una bebida al ser servida. Cuando reapareció, sostenía un vaso de lo que parecía soda. Regresó a la terraza y gritó:

—¡Perla! —La gata comenzó a estirar las patas.
—¡Perla! ¡Perlita! —Emitió ruiditos seductores como de besos. La gata maulló. El hombre entró otra vez en la casa. —Perla.

Selina se pasó la lengua por los labios, respiró hondo y preguntó:

—¿Está buscando a la gata?

George Dyer se detuvo en seco. Alzó la vista y vio a la muchacha sentada en lo alto de la escalera. Tenía piernas largas y desnudas y estaba descalza. Perla, como un enorme almohadón de piel blanca, estaba en sus rodillas.

George frunció el entrecejo y trató de recordar.

—¿Estaba usted ahí cuando llegué? —inquirió.

—Sí.

—Nunca la vi.

—Sí, ya lo sé. —Dyer advirtió que la voz era muy bien modulada, educada. —¿Su gata se llama Perla? —prosiguió Selina.

—Sí, volví para darle de comer.

—Ha estado sentada en mi falda toda la tarde.

—¿Toda la...? ¿Cuánto hace que está usted aquí?

—Desde las dos y media.

—¿Las dos y media? —George consultó su reloj de pulsera. —Pero son más de las cinco.

—Sí. Lo sé.

Perla interrumpió la conversación. Se enderezó, se desperezó, profirió otro maullido lastimero, saltó del regazo de la muchacha y bajó los escalones. Ronroneando como una pava, se envolvió alrededor de las piernas de George, pero esta vez fue ignorada.

—¿Está aquí por alguna razón en particular?

—Oh, sí, vine a verlo.

—Bueno, ¿qué le parece entonces si baja de esa escalera?

Selina lo hizo. Se puso de pie, bastante rígida, y descendió los escalones deteniéndose en cada uno mientras intentaba apartarse el cabello del rostro. En comparación con Frances Dongen y todas las demás jóvenes damas bronceadas en San Antonio, estaba muy pálida, con el lacio cabello castaño dorado hasta los hombros y el flequillo sobre las cejas. Sus ojos eran azules pero ensombrecidos por el cansancio. George Dyer pensó que era demasiado joven incluso para ser bonita.

—Ni siquiera la conozco... ¿verdad?

—No, no me conoce. Espero que no le moleste que haya entrado en su casa como lo hice.

—En absoluto.

—La puerta no tenía llave.

—No la tiene.

Selina sonrió, pensando que tal vez fuera una broma, pero al parecer no lo era, así que dejó de sonreír y trató de pensar en qué decir a continuación. En su inconsciente, había esperado que él la reconociera, que dijera: "Me recuerda a alguien" o "Pero claro, la he visto antes, en algún momento, en algún lugar". Pero no hubo ninguno de esos comentarios, y la apariencia del hombre la desconcertaba, ya que no poseía rastros de los ojos brillantes ni el aspecto atildado del joven oficial que fue su padre. Había esperado que fuera de tez cobriza, pero no que su rostro estuviera tan arrugado ni que tuviera los ojos oscuros tan inyectados de sangre. El hecho de que le hiciera falta una afeitada no sólo ocultaba la línea definida de la mandíbula y la hendidura del mentón, sino que intensificaba su aspecto de villano. Y además, no parecía nada contento de verla.

Selina tragó saliva.

—Supongo... supongo que se preguntará por qué estoy aquí.

—Bueno, sí. Pero estoy seguro de que me lo dirá a su tiempo.

—Volé desde Londres... esta mañana, anoche. No, esta mañana.

Una horrible sospecha embargó a Dyer.

—¿La envió Rutland?

—¿Quién? Oh, el señor Rutland, el editor. No, no lo hizo, pero dijo que desearía que usted contestara sus cartas.

—Que espere sentado. —Se le ocurrió otro pensamiento. —¿Entonces lo conoce?

—Sí. Fui a verlo para preguntarle cómo podía encontrarlo a usted.

—¿Pero, quién es usted?

—Mi nombre es Selina Bruce.

—Yo soy George Dyer, pero imagino que ya lo sabe.

—Sí, lo sé...

Hubo otro silencio. George, a su pesar, comenzó a sentirse intrigado.

—¿No será una admiradora, verdad? ¿La secretaria del Club de Admiradoras de George Dyer? —Selina sacudió la cabeza. —¿Entonces se hospeda en el hotel Cala Fuerte y ha leído mi libro? —Ella volvió a menear la cabeza. —Esto se parece al juego de las veinte preguntas, ¿no? ¿Es usted famosa? ¿Es actriz? ¿Canta?

—No, pero tenía que verlo porque... —El coraje la abandonó. —Porque debo pedirle que me preste seiscientas pesetas —concluyó.

George Dyer sintió que su boca se abría con estupor. Se apuró a dejar el vaso de soda antes que se le cayera.

—¿Qué dijo?

—¿Tiene usted —inquirió Selina con voz clara y aguda como si hablara con un sordo— seiscientas pesetas para prestarme?

—¡Seiscientas! —Rió, pero sin alegría. —Debe de estar bromeando.

—Ojalá fuera así.

—¡Seiscientas pesetas! ¡Ni siquiera tengo veinte!

—Pero necesito seiscientas para pagarle al taxista.

George miró alrededor.

—¿Qué papel juega el taxista en todo esto?

—Tuve que tomar un taxi del aeropuerto a Cala Fuerte. Le dije al taxista que usted le pagaría porque yo no tenía dinero. Me robaron la billetera en el aeropuerto mientras esperaba que encontraran mi equipaje... Mire... —Fue hasta donde estaba su bolso de mano, lo levantó y le mostró los cortes bien definidos en las correas. —Los de la Guardia Civil dijeron que debió de tratarse de un ladrón muy experimentado, porque no sentí nada y sólo me quitaron la billetera.

—Sólo la billetera. ¿Y qué contenía la billetera?

—Mis cheques de viajero, dinero inglés y algunas pesetas. Y —agregó con aire de alguien determinado a confesarlo todo— mi billete de regreso.

—Entiendo —dijo George.

—Y el taxista está esperando ahora en el hotel Cala Fuerte. A usted. Para que le pague.

—¿Quiere decir que tomó un taxi del aeropuerto a Cala Fuerte con el fin de encontrarme para que le pagara el viaje? Es una locura...

—Pero ya le expliqué... Verá, mi equipaje nunca apareció...

—¡*También* perdió el equipaje!

—No yo... sino *ellos*. La compañía aérea.

—O sea que ése fue su viaje. Desayuno en Londres, almuerzo en España y equipaje en Bombay.

—Llegó a Barcelona, pero creen que lo enviaron a Madrid.

—De manera —manifestó George con la actitud de un maestro de ceremonias eficiente haciendo una recapitulación— que su equipaje está en Madrid, le robaron la billetera y quiere seiscientas pesetas para pagar su viaje en taxi.

—Sí —repuso Selina, encantada de que por fin hubiera comprendido la situación.

—¿Y cómo dijo que se llamaba?

—Selina Bruce.

—Bien, señorita Bruce, a pesar de que me complace haberla conocido y desde luego, lamento su racha de mala suerte, sigo sin entender qué tiene eso que ver conmigo.

—Pienso que tiene mucho que ver con usted —replicó Selina.

—¿En serio?

—Sí. Verá... creo que soy su hija.

—¿Cree...?

La primera reacción fue pensar que estaba loca. Tenía que estarlo. Era una de esas mujeres lunáticas que se paseaban insistiendo en ser la emperatriz Eugenia, sólo que ésta tenía una fijación con él.

—Sí. Creo que usted es mi padre.

No estaba loca. Era muy inocente y de veras creía lo que estaba diciendo. George se dijo que debía ser racional.

—¿Y qué le hace suponer eso?

—Tengo una pequeña fotografía de mi padre. Pensaba que estaba muerto. Pero usted tiene su mismo rostro.

—Lo siento por él.

—Oh, no, en absoluto...

—¿Tiene la fotografía?

—Sí, aquí mismo... —Se inclinó para recoger de nuevo su bolso y él trató de calcular su edad. Intentó recordar, decidir de una manera frenética y como si fuera un asunto de vida o muerte si podía existir la más mínima posibilidad de que esa espantosa acusación fuera cierta.

—Aquí está... Siempre la he llevado conmigo, desde que la encontré, hace cinco años. Y cuando vi la fotografía en la contratapa de la sobrecubierta de su libro... —Se la tendió y George la tomó sin quitarle los ojos de encima.

—¿Qué edad tiene usted? —preguntó.

—Veinte.

El alivio le aflojó las piernas. Para ocultar la expresión de su rostro, se apresuró a mirar la fotografía. No dijo nada. Y luego, tal como había hecho Rodney cuando Selina se la mostró por primera vez, la acercó a la luz.

—¿Cómo era su nombre? —inquirió al cabo de unos minutos.

Selina tragó saliva.

—Gerry Dawson. Pero las iniciales son las mismas que las suyas.

—¿Puede decirme algo sobre él?

—No mucho. Verá, siempre me dijeron que lo mataron antes de que yo naciera. Mi madre se llamaba Harriet Bruce y murió *enseguida* después que nací. Mi abuela me crió y por eso me llamo Selina Bruce.

—Su abuela. La madre de su madre.

—Sí.

—¿Y encontró esta fotografía...?

—Hace cinco años. En un libro de mi madre. Y después me... regalaron *Fiesta en Cala Fuerte*, y cuando vi su fotografía en la sobrecubierta, me pareció que eran iguales. La misma cara, quiero decir. Iguales. La misma persona.

George Dyer no respondió. Regresó de la puerta abierta y le devolvió la fotografía. Luego encendió un cigarrillo, sacudió el fósforo para apagarlo y lo dejó en el centro del cenicero.

—Dijo que le dijeron que a su padre lo mataron. ¿A qué se refiere con eso? —preguntó.

—Porque eso *fue lo que me dijeron*. Pero siempre he sabido que mi abuela no lo aprobaba. Nunca quiso que se casara con mi madre. Y cuando vi la fotografía, pensé que tal vez había habido algún error. Que quizá no estuviera muerto. Que lo habían herido o había perdido la memoria. Esas cosas ocurrieron, sabe.

—Pero no a su padre. Su padre está muerto...

—Pero usted...

—No soy su padre —declaró con mucha gentileza.

—Pero...

—Usted tiene veinte años. Y yo treinta y siete. Tal

vez parezca mucho más, pero de hecho, tengo sólo treinta y siete. Ni siquiera estuve en la guerra... en todo caso, no en ésa...

—Pero las fotografías...

—Tengo una vaga idea de que Gerry Dawson era primo segundo mío. El hecho de que nos parezcamos es un fenómeno hereditario. En realidad, es probable que fuéramos bastante distintos. La fotografía de su padre y la de la sobrecubierta de mi libro fueron tomadas con muchos años de diferencia. Y aun en mis mejores épocas, nunca fui tan apuesto.

Selina lo miraba con fijeza. Nunca había visto un hombre tan bronceado. Necesitaba que alguien le cosiera un botón en la camisa porque la tenía toda desprendida, de modo que se veía el vello oscuro del pecho, y las mangas estaban arremangadas con descuido hasta debajo del codo. Se sentía rara; tenía la impresión de que no lograría controlar nada de lo que su cuerpo decidiera hacer. Sus rodillas podrían doblarse, sus ojos llenarse de lágrimas, incluso podría empezar a pegarle a ese hombre de pie allí, que le decía que no era su padre. Que todo era cierto. Que Gerry Dawson estaba muerto.

Él seguía hablando y sonaba como si intentara ser amable. "... lamento que haya venido hasta aquí. No se sienta mal... cualquiera hubiera cometido la misma equivocación... después de todo..."

Selina tenía un nudo en la garganta y el rostro de él, tan cerca, comenzó a borronearse y a deslizarse como si cayera despacio al fondo de un estanque. Había estado muy tibia, pero ahora, de pronto, se sentía helada. Tenía piel de gallina en los brazos, la espalda y hasta en las raíces mismas del cabello.

—¿Se siente bien? —inquirió George Dyer y pareció que hablaba desde muy lejos.

Selina comprendió, avergonzada, que después de todo no se desmayaría ni lo atacaría en medio de un arrebato de ira. Simplemente, se desharía en lágrimas.

6

—Supongo que no tiene un pañuelo, ¿verdad? —preguntó ella.

No tenía, pero fue a buscar una caja grande de pañuelos de papel y se la dio. Selina extrajo uno y se sonó la nariz.

—No creo que vaya a necesitar todos —agregó.

—No estaría tan seguro.

—Lo siento. No era mi intención hacer esto. Me refiero a llorar.

—Me imagino.

Sacó otro pañuelo y se sonó la nariz de nuevo.

—Había estado esperando tanto tiempo. Y de pronto tuve mucho frío.

—Está más fresco. El sol se ha puesto. Y han dado aviso sobre otra tormenta. Ven, siéntate.

Le puso una mano bajo el codo y la guió hasta el enorme sillón. Como seguía temblando, le tapó las rodillas con la manta roja y blanca y le dijo que le traería un coñac. Selina respondió que no le gustaba el coñac, pero él fue a buscarlo de todos modos y ella lo observó mientras tomaba una botella y un vaso y le servía un trago en el fogón detrás del mostrador.

—Necesito comer algo —comentó cuando él le dio el vaso.

—Primero toma esto.

El vaso era pequeño y grueso, y el coñac, puro. Selina se estremeció. Cuando lo terminó, George tomó el vaso vacío y, camino a la cocina, atizó las cenizas en la chimenea y agregó otro trozo de leña. Las cenizas se elevaron y bajaron de nuevo, esparciendo una capa de polvo gris sobre la madera fresca. Al cabo de unos segundos, mientras Selina observaba, hubo un destello rojo y una llama diminuta.

—Ni siquiera necesita usar un fuelle... ya está ardiendo.

—En estos lugares saben cómo construir una chimenea. ¿Qué quieres comer?

—Cualquier cosa.

—Sopa. Pan y manteca. Carne fría. Fruta.

—¿Tiene sopa?

—En lata...

—¿No es una molestia?

—No tanto como verte llorar.

Se sintió dolida.

—No fue mi intención.

En tanto la sopa se calentaba, George regresó para sentarse en la solera y conversar con ella.

—¿Dónde vives? —inquirió. Tomó un cigarrillo y lo prendió con una astilla del fuego.

—En Londres.

—¿Con tu abuela?

—Mi abuela murió.

—¿Vives sola?

—No. Con Agnes.

—¿Quién es Agnes?

—Mi niñera —repuso Selina y se habría mordido la lengua al instante—. Me refiero a que... era mi niñera.

—¿Y no hay nadie más?

—Sí —admitió—. Rodney.

—¿Quién es Rodney?

Los ojos de Selina se agrandaron.

—Es mi... abogado.

—¿Alguien sabe que estás aquí?

—Agnes sabe que vendría.

—¿Y el abogado...?

—Estaba fuera. Por negocios.

—¿O sea que no hay nadie que pueda preocuparse por ti? ¿Que se pregunte dónde estás?

—No.

—Bueno, eso es importante.

La sopa en la cacerola empezó a hervir. George Dyer volvió a la cocina para buscar un bol y una cuchara.

—Me gusta su casa —señaló Selina.

—¿De veras?

—Sí. Destila una sensación agradable, como si sólo hubiera sucedido; como si nunca hubiera sido planeada.

Pensó en el departamento en Londres donde ella y Rodney vivirían después de casados. En el tiempo y la consideración dedicados a las alfombras y a las cortinas, a la iluminación correcta y los almohadones, los papeleros, la cocina y las cacerolas y sartenes.

—Creo que así tiene que ser una casa —continuó—. Debe evolucionar. Como las personas que la habitan. —George Dyer se estaba sirviendo un whisky con soda y no contestó. Selina prosiguió:

—Por supuesto, hay que tener ciertas cosas, un techo sobre la cabeza y un fuego y... supongo que un lugar donde dormir. —George regresó de la cocina. Llevaba el bol de sopa con una cuchara que sobresalía del interior en una mano y su trago en la otra. Selina tomó el bol y preguntó: —¿Cómo hizo para subir la cama?

—En partes. La armamos arriba.

—Es muy grande.

—En España la llaman *Matrimonial*. Una cama de matrimonio.

Selina se turbó un poco.

—Me costaba imaginar cómo había hecho para subirla. No... no debí haber mirado. Lo lamento, pero quería ver todo antes que usted llegara.

—¿Qué harás ahora?

Selina bajó la vista a la sopa y la revolvió. Era de verduras con fideos de letras que flotaban.

—Supongo que será mejor regresar a casa.

—¿Sin pasaje y sin dinero?

—Si pudiera conseguir algo prestado, podría volver a San Antonio en el taxi de Toni. Y tomar el próximo vuelo de regreso a Londres.

—Hablaba en serio cuando te dije que no tenía esas seiscientas pesetas —explicó George—. Uno de los motivos por los que fui ayer a San Antonio fue para buscar un poco de efectivo. Pero hubo una demora con el giro en el Banco de Barcelona y en este momento estoy pelado.

—¿Pero qué voy a hacer con el taxista? Tengo que pagarle.

—Quizá Rudolfo en el Cala Fuerte nos ayude.

—Me parece demasiado pedir.

—Está acostumbrado.

—No se trata sólo de las seiscientas pesetas para el taxi. Tendré que comprar otro billete de avión.

—Sí, lo sé.

La sopa todavía estaba demasiado caliente para tomarla. Selina la revolvió de nuevo y dijo:

—Debe de pensar que soy una grandísima tonta. —Él no lo negó y ella continuó: —Por supuesto, podría haber enviado una carta, pero no podía tolerar la idea de aguardar una respuesta. —George siguió sin hacer comentario alguno y Selina sintió que debía intentar justificarse. —Es lógico creer que uno se acostumbrará a no tener un padre, en especial si no lo ha conocido. Pero yo nunca me acostumbré. Solía pensar en eso todo el tiempo. Rodney dijo que estaba obsesionada con el tema.

—No es algo malo obsesionarse con eso.

—Le mostré a Agnes la fotografía del libro y se sobresaltó mucho por su parecido con mi padre. Eso me decidió a venir, porque Agnes lo conocía muy bien. Y no parecería tan estúpida si no me hubieran robado la billetera. Hasta entonces, me las había arreglado bastante bien. Tomé todas las conexiones aéreas correctas y no fue mi culpa que enviaran mi equipaje a Madrid.

—¿Nunca viajaste sola antes? —La voz sonó incrédula.

—¡Oh, sí, un montón de veces! Pero nada más que en trenes para ir al colegio y cosas parecidas. —Algo en la expresión de él la instó a ser del todo honesta. —Y siempre había alguien esperándome... —Se encogió de hombros. —Usted sabe...

—No, no lo sé, pero te creo.

Comenzó a tomar la sopa.

—Si mi padre era de veras primo suyo, entonces

tenemos que ser parientes —dedujo.

—Primo segundo o en tercer o cuarto grado...

—Suena muy remoto, ¿no? Y como de familia real. ¿Conoció a mi padre?

—No, no lo conocí. —Frunció el entrecejo. —¿Cómo dijiste que te llamabas?

—Selina.

—Selina. No hay mejor prueba que eso de que no eres mi hija.

—¿A qué se refiere?

—Jamás cargaría a una muchacha con un nombre como ése.

—¿Qué nombre le pondría?

—Un hombre rara vez imagina tener hijas. Sólo piensa en un varón. George Dyer hijo, tal vez. —Alzó el vaso en honor de ese hijo imaginario, terminó su trago y bajó el vaso. —Bueno, vamos, toma la sopa e iremos a buscar al taxista.

Mientras él apilaba el bol de sopa y los vasos en la pileta y alimentaba a la hambrienta Perla, Selina se lavó las manos y la cara en el lavatorio del baño, se cepilló el cabello y volvió a ponerse las medias y los zapatos. Cuando salió, George se encontraba de nuevo en la terraza. Con la gorra sobre la nuca, escrutaba el puerto a través de los binoculares. Selina se le acercó.

—¿Cuál es su barco?

—Aquél.

—¿Cómo se llama?

—*Eclipse*.

—Parece grande para ser manejado por una sola persona.

—Lo es. Suelo contar con una tripulación. —Añadió: —Me pongo un poco nervioso cuando hay tiempo tormentoso. El mar enfurecido rodea ese promontorio y ha arrancado más de un ancla.

—Pero allí debe de estar seguro.

—Las rocas se extienden demasiado en aguas profundas para dar tranquilidad.

Selina contempló el cielo. Estaba encapotado y plomizo.

—¿Habrá otra tormenta?

—Sí, ha cambiado el viento. El pronóstico es malísimo. —Bajó los binoculares y la miró. —¿Te sorprendió la tormenta de anoche?

—Nos persiguió sobre los Pirineos. Apenas pudimos aterrizar en Barcelona.

—No me asusta una tormenta en el mar, pero una tormenta en el aire me da pánico. ¿Estás lista?

—Sí.

—Iremos en el auto.

Entraron en la casa. George dejó los binoculares en el escritorio y Selina recogió su bolso y se despidió en silencio de Casa Barco. Había pensado tanto en llegar y ahora, unas pocas horas después, ya la estaba dejando. Para siempre. Tomó su abrigo.

—¿Para qué diablos es eso? —inquirió él.

—Es mi abrigo. En Londres hace frío.

—Lo había olvidado. Dámelo, yo te lo llevaré. —Se lo colgó sobre el hombro y agregó: —Una cosa buena de perder el equipaje es que al menos se viaja liviano.

Salieron de la casa y Selina no supo si el auto pretendía ser un chiste. Parecía decorado para la Semana de Bromas Estudiantiles y pensó preguntarle si él mismo había pintado las ruedas de amarillo, pero no se atrevió. Entraron en el coche y George apoyó el abrigo en las rodillas de Selina. Luego arrancó el motor, puso el cambio y giró el auto en una serie de aterradores sacudones hacia atrás y hacia adelante. El desastre acechaba inminente. En un momento, parecieron a punto de embestir una pared sólida. Al siguiente, las ruedas traseras se balancearon en el borde de un escarpado sendero de escalones. Selina cerró los ojos. Cuando por fin se lanzaron hacia adelante y colina arriba, un opresivo olor a gases de escape los envolvió. Un chacoloteo siniestro resonaba en algún sitio bajo sus pies. Los asientos se hundían y estaban agujereados, y el piso, que había perdido la alfombra hacía ya años, poseía un increíble parecido con el fondo de un tacho de basura. Por el bien de George, Selina esperó que su barco se encontrara en mejor estado.

Pero a pesar de todo eso, viajar a través de Cala Fuerte en el auto de George Dyer resultaba muy cordial. Los niños chillaban entre risas, agitaban sus manos y proferían saludos alegres. Las mujeres, sentadas en los jardines o chismorreando en las puertas, se volvían para sonreír y saludar. Los hombres, instalados afuera de los cafés o de regreso del trabajo a sus hogares, se detenían para mirarlos pasar y gritaban bromas en español que Selina no comprendía pero George Dyer evidentemente sí.

—¿Qué dicen?

—Quieren saber dónde encontré a mi nueva señorita.

—¿Eso es todo?

—¿No es suficiente?

El coche llegó sacudiéndose al hotel Cala Fuerte y se detuvo con tanta brusquedad que una nube de polvo blanco se elevó de las ruedas y depositó una capa sobre las mesas y los tragos de los clientes sentados en la terraza de Rudolfo disfrutando de los primeros aperitivos del atardecer. Un inglés comentó: "Qué descaro", pero George Dyer lo ignoró, se bajó del auto sin molestarse en abrir la puerta, subió los escalones de la terraza y atravesó la cortina de cadenas con Selina tras él.

—¡Rudolfo!

Rudolfo estaba detrás del mostrador. Habló en español.

—No hace falta gritar.

—¿Dónde está el taxista, Rudolfo?

Rudolfo no sonreía. Sirvió una bandeja de tragos y repuso:

—El taxista se marchó.

—¿Se marchó? ¿No quería su dinero?

—Sí, quería su dinero. Seiscientas pesetas.

—¿Quién le pagó?

—Yo —contestó Rudolfo—. Y quiero hablar contigo. Espera a que atienda a mis clientes.

Salió de atrás del mostrador, pasó junto a ellos sin decir ni una palabra y desapareció por la cortina de cadenas hacia la terraza. Selina clavó la mirada en George.

—¿Está enojado?

—Por lo visto, se fastidió por algo.

—¿Dónde está Toni?

—Se fue. Rudolfo le pagó.

Selina necesitó un segundo o más para asimilar la enormidad de eso.

—Pero si se fue... ¿cómo haré para volver a San Antonio?

—Sólo Dios lo sabe.

—Tendrá que llevarme usted.

—No manejaré de vuelta a San Antonio esta

noche, y aunque lo hiciera, no puedo comprarte un billete de avión.

Selina se mordió el labio.

—Rudolfo parecía tan simpático.

—Como todos nosotros, tiene doble personalidad.

Rudolfo regresó y la cortina de cadenas se sacudió a sus espaldas. Apoyó la bandeja vacía y se volvió para increpar a George.

Se expresó en español, lo cual fue bastante conveniente, puesto que el lenguaje que empleó no era adecuado para los oídos delicadamente educados de una joven señorita inglesa. George se defendió con brío. A medida que las voces subían de tono, Selina, incapaz de ignorar el hecho obvio de que gran parte de las alusiones se referían a ella, interponía, "Oh, por favor, explíquenme de qué se trata" o "¿No podrían hablar en inglés para que pueda entenderlos?", pero ninguno de los dos le prestó la más mínima atención.

La discusión fue por fin interrumpida por la llegada de un alemán gordo que deseaba un vaso de cerveza. Mientras Rudolfo iba detrás del bar para atenderlo, Selina aprovechó la oportunidad para tirar de la manga de George y exclamar:

—¿Qué pasó? ¡Cuénteme qué pasó!

—Rudolfo está molesto porque tú dijiste que esperarías en Casa Barco y él pensó que el taxista aguardaría allí contigo. No le gusta tener taxistas perdiendo el tiempo y emborrachándose en su bar. Y, por lo visto, éste parece haberle caído especialmente mal.

—Oh.

—Sí, oh.

—¿Eso es todo?

—No, por supuesto que no es todo. Al final, para deshacerse del hombre, Rudolfo le pagó. Y ahora dice que le debo seiscientas pesetas y está fastidiado porque cree que no podré pagarle.

—Pero yo le pagaré... Se lo prometo...

—Ese no es el problema. Quiere el dinero ahora.

El alemán gordo, que intuía el mal ambiente, llevó su cerveza afuera y, no bien se hubo marchado, Rudolfo y George se enzarzaron en otra discusión. Selina se adelantó con rapidez.

—Oh, por favor, señor... Quiero decir, Rudolfo. La culpa es mía y me ocuparé de que recobre su dinero, pero verá, me robaron todo lo que tenía...

Rudolfo ya había oído eso antes.

—Usted dijo que esperaría en Casa Barco. Con el taxista.

—No sabía que él se quedaría aquí tanto tiempo.

—Y tú... —Rudolfo se volvió hacia George.

—¿Dónde estabas? Te vas a San Antonio, no vuelves, y nadie sabe dónde estás...

—¿Qué diablos tiene que ver eso contigo? Adonde yo vaya y lo que yo haga es asunto mío.

—Tiene que ver conmigo cuando tengo que pagar tus cuentas.

—Nadie te pidió que pagaras. Y en todo caso, no era una cuenta mía. Y arruinaste todo porque ahora la señorita no puede regresar a San Antonio.

—¡Llévala tú entonces!

—¡Ni loco! —vociferó George. Y con esas palabras, salió del bar hecho una furia. Bajó de un tranco los escalones de la terraza y entró en su auto. Selina se lanzó tras él.

—¿Qué pasará conmigo?

Se volvió para mirarla.

—Bueno, ¿vienes o te quedas?

—No quiero quedarme aquí.

—Entonces sube.

No había alternativa. La mitad del pueblo y todos los clientes de Rudolfo parecían disfrutar de la escena. George se estiró para abrirle la puerta y Selina se acomodó junto a él.

En ese momento, como en respuesta a la señal de un director de escena celestial, estalló la tormenta.

Un rayo partió el cielo, el retumbo de un trueno y el súbito acrecentamiento del viento estremecieron los pinos. Los manteles en la terraza del Cala Fuerte se levantaron y se agitaron como velas mal sujetas. Un sombrero en el perchero afuera de la tienda de María se voló y se alejó girando por la calle principal como una gran rueda rosada y amarilla. El polvo se alzó en espirales, y al viento le sucedió la lluvia, una repentina cortina de agua con gotas tan grandes y pesadas que las alcantarillas se inundaron en segundos.

Todo el mundo corrió a refugiarse bajo techo: los clientes de Rudolfo, las mujeres chismosas, los niños que correteaban, los dos hombres que habían estado trabajando en el camino. Reinaba un clima general de catástrofe inminente, como si hubiera sonado una alarma de incursión aérea. En pocos minutos, el lugar quedó desierto. Excepto por Selina y George, y el autito de George.

Selina comenzó a apearse, pero George ya había puesto el motor en marcha y la hizo volver de un tirón.

—¿Por qué no nos resguardamos? —sugirió ella.

—¿Para qué? No tendrás miedo de una lluviecita, ¿no?

—¿Una *lluviecita*? —La expresión de él era pétrea y no se dignó responder. —¿No se puede levantar la capota?

George embragó y el coche arrancó con la precipitación de un petardo al estallar.

—No, desde hace diez años —gritó por sobre el estrépito del auto, la lluvia y el viento. Ya estaban empapados y Selina sentía los pies mojados. Se preguntó si tendría que empezar a achicar el agua.

—¿Para qué sirve una capota si no se puede levantar?

—Oh, deja de quejarte...

—No me quejo, pero...

George aceleró y las palabras de Selina se ahogaron en el miedo. Avanzaron con estruendo por el camino, haciendo chirriar las ruedas al doblar y levantando olas de barro amarillo. El mar estaba del color del plomo y los jardines de las encantadoras casitas, devastados por el viento. Objetos voladores llenaban el aire... hojas, fragmentos de paja y agujas de pino... y cuando por fin ascendieron la colina y bajaron por el sendero hacia Casa Barco, el agua, encerrada entre paredes altas, había alcanzado las proporciones de un arroyo profundo. Ir en el coche de George era como bajar rápidos.

Por la fuerza de gravedad, la gran masa de esta agua se desviaba hacia abajo por el tramo de escalones que conducía al puerto, pero una parte considerable había prácticamente inundado el viejo depósito de redes donde George guardaba su auto.

No obstante esto, entró el coche y lo detuvo a escasos peligrosos centímetros de la pared del fondo. Apagó el motor y se bajó de un salto.

—Vamos, sal y ayúdame a cerrar las puertas.

Selina estaba demasiado asustada para rebelarse. Hundió los pies en los diez centímetros de agua sucia y fría y lo ayudó a cerrar las puertas desvencijadas. Por fin consiguieron cerrarlas y se apoyaron contra ellas hasta que George, a duras penas, logró deslizar el primitivo cerrojo. Luego tomó a Selina de la muñeca y la hizo correr al interior de Casa Barco mientras otro relámpago rajaba el cielo negro y era sucedido por un trueno tan cercano que Selina creyó que el techo se desplomaría.

Tampoco en la casa parecían estar a salvo. George salió de inmediato a la terraza y comenzó a forcejear con los postigos. El viento era tan fuerte que tuvo que apalancarlos para alejarlos de las paredes de la casa. Las macetas con flores ya habían desaparecido, algunas por sobre el borde de la pared, otras sobre la terraza, donde yacían en una confusión de loza rota y barro desparramado. Cuando George finalmente consiguió cerrar los postigos y las puertas internas, la casa pareció oscura y extraña. Intentó prender la luz, pero la electricidad se había cortado. La lluvia, que bajaba por la chimenea, había apagado el fuego y el pozo gorgoteaba como si estuviera a punto de desbordarse en cualquier momento.

—¿Estaremos bien? —preguntó Selina.

—¿Por qué no habríamos de estarlo?

—Los truenos me dan miedo.

—No pueden lastimarte.

—Pero los rayos sí.

—Bueno, entonces ten miedo de los rayos.

—Lo tengo. También me asustan.

Selina consideraba que él debía disculparse, pero, en cambio, se limitó a tantear su bolsillo y extraer un paquete de cigarrillos mojados. Lo arrojó a la chimenea rociada por la lluvia y merodeó en busca de otro. Por fin halló uno en la cocina. Tomó un cigarrillo, lo prendió y mientras estaba allí, se sirvió un whisky fuerte. Llevó el vaso hasta el pozo, bajó el balde y lo levantó lleno hasta el borde. Con una habilidad fruto de una larga práctica, vertió el agua del balde al vaso sin derramar ni una gota.

—¿Quieres un trago? —inquirió.

—No, gracias.

George bebió un sorbo de whisky y la contempló. Selina no podía distinguir si reía o no. Ambos estaban mojados como si se hubieran caído dentro de una bañera. Ella se había quitado los zapatos arruinados y ahora estaba de pie en medio de un charco de agua en expansión con el borde del vestido chorreando y el cabello pegado a la cara y el cuello. Estar mojado no parecía molestar a George Dyer tanto como a ella.

—Supongo que está acostumbrado a esto —aventuró y trató de estrujar el ruedo del vestido—. Ni siquiera había necesidad. Podríamos habernos refugiado hasta que hubiera pasado la tormenta. Rudolfo nos habría dejado...

George dejó el vaso con un ruidito y cruzó la habitación. Luego, de a dos peldaños por vez, subió la escalera hacia la galería.

—Toma esto —dijo y arrojó un piyama—. Y esto. —Le siguió una bata de toalla. Se oyó el sonido de un cajón que se abría y cerraba. —Y esto. —Una toalla. Permaneció de pie con las manos en la baranda y mirándola. —Usa el baño. Quítate esa ropa, sécate y cámbiate.

Selina recogió las prendas. Al abrir la puerta del baño, una camisa mojada voló por sobre la baranda de la galería seguida de un par de vaqueros empapados. Selina se apresuró a entrar en el baño y echó llave a la puerta.

Cuando salió, seca, enfundada en la ropa extragrande y con el cabello envuelto tipo turbante en una toalla, descubrió que había ocurrido una cierta metamorfosis.

El fuego ardía con intensidad otra vez y había tres o cuatro velas encendidas acomodadas en botellas de vino viejas. La radio de transistores emitía música flamenca y George Dyer no sólo se había cambiado y aseado sino también afeitado. Tenía un suéter blanco de cuello alto, pantalones azules de sarga y pantuflas de cuero rojas. Estaba sentado en la solera, de espaldas al fuego, y leía uno de sus periódicos ingleses. Parecía tan relajado como cualquier caballero en su casa de campo. Alzó la vista cuando ella entró.

—Bien, aquí estás.

—¿Qué hago con todas mis cosas mojadas?

—Déjalas en el piso del baño. Juanita se encargará de ellas por la mañana.

—¿Quién es Juanita?

—Mi mucama. La hermana de María. ¿Sabes quién es María? Maneja la tienda de comestibles del pueblo.

—La madre de Tomeu.

—O sea que ya conociste a Tomeu.

—Tomeu nos trajo aquí hoy; nos guió con su bicicleta.

114

—Tomeu trajo un pollo en ese cesto grande de comestibles. Ahora está en el horno. Ven, siéntate junto al fuego y caliéntate. Te serviré un trago.

—No quiero un trago.

—¿Nunca bebes?

—A mi abuela no le gustaba.

—Tu abuela, si me disculpas la expresión, era una vieja bruja.

Selina no pudo evitar sonreír.

—No, en realidad no lo era.

La sonrisa sorprendió a George. Sin dejar de mirarla, preguntó:

—¿En qué parte de Londres vives?

—En Queen's Gate.

—Queen's Gate, S.W.7. Muy lindo. Y supongo que tu niñera te llevaba a pasear a los jardines de Kensington.

—Sí.

—¿Tienes hermanos y hermanas?

—No.

—¿Tíos y tías?

—No. A nadie.

—No es de extrañar que necesitaras un padre con tanta desesperación.

—No lo necesitaba con desesperación. Simplemente quería tener uno.

George ladeó su vaso y contempló el líquido ámbar.

—Sabes... se me acaba de ocurrir que las personas que uno.... quiere... siguen viviendo hasta que un tonto entrometido viene y nos dice que han muerto.

—Hace años que me dijeron que mi padre estaba muerto —afirmó Selina.

—Lo sé, pero hoy te lo dijeron por segunda vez. Y fui yo quien lo mató.

—No fue su culpa.

—De todos modos lo lamento. —Añadió más suavemente: —Un trago te vendría bien. Para darte un poco de calor.

Selina sacudió la cabeza y él no insistió, pero se sentía incómodo. Estaba acostumbrado a estar con Frances, quien tenía buena cabeza para el alcohol, aun cuando se ponía algo embotada al final de la velada y lista para pelear por cualquier cosa. Pero al día siguiente estaba tan lúcida y con los ojos tan brillantes como siempre, eso descontando el ligero temblor de su mano al tomar el décimo cigarrillo de la mañana.

Pero esa niña. La miró. Su piel era como el marfil, de color crema y casi perfecta. Mientras la observaba, ella se quitó la toalla de la cabeza y comenzó a frotarse el cabello para secarlo. Sus orejas asomaron, conmovedoras y vulnerables como la nuca de un bebé.

—¿Qué vamos a hacer? —inquirió Selina.

—¿Con respecto a qué?

—Con respecto al dinero. A pagar a Rudolfo y mi regreso a Londres.

—No lo sé. Tendré que pensarlo.

—Podría enviar un telegrama a mi Banco en Londres y me mandarían algo.

—Sí, podría ser.

—¿Tardaría mucho?

—Tres o cuatro días.

—¿No le parece que debería tomar una habitación en el hotel Cala Fuerte?

—Dudo de que Rudolfo te aceptara.

116

—En realidad no lo culpo. Incluso estando sobrio, Toni era bastante espantoso. Borracho, debe de haber sido aterrador.

—No creo que haya asustado a Rudolfo.

—Bueno... ¿dónde voy a quedarme?

—¿Dónde si no aquí? En la Matrimonial. Iría al *Eclipse*, pero no con este tiempo, y no será la primera vez que duerma en el sofá.

—Si alguien va a dormir en un sofá, tendría que ser yo.

—Como gustes. A mí me da lo mismo. Lamento que Casa Barco no esté diseñada de una manera más conveniente, pero no hay mucho que pueda hacer al respecto. Jamás imaginé que una hija mía vendría a quedarse.

—Pero no soy su hija.

—Entonces digamos que eres George Dyer Junior.

7

Seis años atrás, cuando George Dyer fue a vivir a Cala Fuerte, Juanita se apareció a su puerta y anunció con gran dignidad que le gustaría trabajar para él. Era esposa de un granjero de San Estaban, tenía cuatro hijos que asistían a la escuela del pueblo y la pobreza siempre acechaba. Necesitaba el trabajo porque necesitaba el dinero, pero nada en su porte erguido y orgulloso lo delataba. Era una mujer pequeña, con la tenacidad afanosa de una campesina trabajadora, ojos oscuros, piernas cortas y una sonrisa cautivante arruinada por el hecho de que nunca se había lavado los dientes.

Se levantaba todos los días a las cuatro y media de la madrugada, realizaba las tareas domésticas diarias de su casa, alimentaba a su familia, la despedía y luego bajaba a pie la colina desde San Estaban a Cala Fuerte para presentarse en Casa Barco a las siete y media. Se ocupaba de limpiar y cocinar para George, le lavaba y planchaba la ropa, peinaba a la gata y desmalezaba el jardín. Y, si era necesario, iba en el bote de remo hasta el *Eclipse* y fregaba las cubiertas.

Cuando se publicó *Fiesta en Cala Fuerte*, George

le regaló un ejemplar con una dedicatoria escrita en la solapa: "Para Juanita, con cariño y respeto, George Dyer", y era tal vez su posesión más preciada después de la cama matrimonial que le había legado su abuela y las sábanas de hilo, pesadas como cuero, bordadas por ella misma. No hablaba inglés y no leía ningún idioma, pero el libro estaba en exhibición en su casa, como un adorno, con una carpetita de encaje exclusiva para él. Juanita nunca entraba por su cuenta en Casa Barco. Según su código, eso constituía una violación de la etiqueta. En vez, se sentaba afuera, en la pared, con las manos en la falda y las piernas cruzadas a la altura de los tobillos en pose real, y esperaba a que él abriera la puerta y la dejara pasar. Él decía: "Buenos días, Juanita", intercambiaban comentarios sobre el tiempo y ella preguntaba cómo había dormido el señor. George nunca había descubierto la razón de esta extraña costumbre y no le gustaba preguntar. Tal vez tuviera que ver con el hecho de que no tenía una esposa.

La mañana después de la tormenta se despertó a las siete. Al final, había dormido en el sofá, porque no pudo ser tan cruel como para quedarse con la cama cómoda. Reinaba un gran silencio. El viento había cesado y, cuando se levantó, abrió los postigos y salió a la terraza. La mañana estaba fresca y quieta como una perla, sin una nube en el cielo. Después de la lluvia, la tierra olía a humedad dulzona, aunque el agua del puerto estaba oscura por la borrasca y habría que reparar los efectos de la devastación. Para empezar, levantó los muebles destartalados de la terraza, que habían volado de manera ignominiosa, y eliminó un charco de agua que se había formado sobre la mesa. Luego regresó adentro, prendió un cigarrillo y pensó en prepararse una taza de té. Sin embargo, no había agua en la pava y no quería bajar el balde al pozo por miedo a despertar a Selina.

Buscó su ropa, pero el suéter y el pantalón de la noche anterior no eran adecuados para el trabajo del día, así que fue a la galería para procurarse otros. Selina todavía dormía como un niño, perdida en el pijama masculino y la cama enorme. Moviéndose despacio, George tomó la primera camisa y el pantalón que encontró a mano y bajó la escalera con lentitud. Se dio una ducha (el agua estaba helada después de la tormenta) y se vistió. Luego fue a abrir la puerta a Juanita. No había llegado, pero si la puerta quedaba abierta, entraría y empezaría a preparar el desayuno. Regresó a la terraza, descendió los escalones hacia la grada, empujó fuera el bote y remó hasta el *Eclipse*.

La embarcación parecía haber resistido la tormenta con su calma habitual. George verificó las amarras y subió a bordo. Con una cierta previsión, había asegurado la lona impermeable sobre la parte baja de popa y, aunque estaba hundida por el agua acumulada, había cumplido su misión. Aflojó un par de drizas tirantes y bajó para asegurarse de que la lluvia no hubiera entrado por las escotillas de proa. Una vez satisfecho en ese sentido, volvió a la parte baja de popa, se sentó en la brazola y encendió un cigarrillo.

Iba a ser un día muy caluroso. El vapor ya se elevaba de las cubiertas húmedas y de la lona encerada que había extendido para que se secara. El aire era tan claro que se podía ver muy lejos tierra adentro, más allá de la cruz distante de San Esteban; y tan quieto que, cuando un pescador ocupado en su bote habló en voz baja con un compañero, George oyó cada palabra. El movimiento del agua era mínimo. La proa del bote lo resistía con un suave chapaleteo, pero el barco se movía ligeramente, como si respirara.

Sosegado por el entorno familiar, los olores y sonidos conocidos, George sintió que comenzaba a relajarse. Ahora, calmado, podía considerar el día por delante y poner cierto orden en los problemas que lo acuciaban.

El primero era Rudolfo. No le importaba la pelea; no era la primera y no sería la última, pero Rudolfo no era un hombre rico y de alguna manera, y pronto, habría que devolverle las seiscientas pesetas. George no podía arriesgarse a esperar a que el Banco de Barcelona le girara su dinero. Esas demoras ya habían ocurrido antes y, en una ocasión, tuvo que aguardar casi un mes. Pero si enviaran un telegrama al Banco de Selina, existía la posibilidad de que el dinero estuviera en San Antonio en tres o cuatro días. Y si Rudolfo supiera eso, la hospedaría con gusto en su hotel y de ese modo se respetarían las convenciones y no habría sentimientos heridos... de por sí vulnerables en Cala Fuerte.

Por otra parte, estaba Frances. Si George se lo pedía, Frances le prestaría las seiscientas pesetas y el dinero para pagar el billete aéreo de vuelta de Selina. Pero, con Frances, el dinero mandaba. Y si George iba a endeudarse con ella, no lo haría por Rudolfo ni por una chica que había llegado buscando a su padre, sino por él, porque sólo él podría saldar la cuenta.

Un movimiento en Casa Barco llamó su atención y levantó la vista. Juanita estaba en la terraza, colgando la manta roja y blanca del sofá sobre el cordel de la ropa lavada para que se aireara. Tenía puestos un vestido rosa y un delantal marrón y volvió a entrar en la casa. Reapareció con una escoba y empezó a juntar los restos de las macetas rotas la noche anterior.

George se preguntó cómo explicaría la presencia de Selina en su cama. Siempre había tenido la precaución de no permitir que surgiera una situación así, y en lo que concernía a Juanita, no tenía idea de cómo podría llegar a reaccionar. No le gustaba engañarla, pero, por otra parte, no quería perderla... por ningún motivo. Podía decirle la verdad, pero era tan improbable que dudaba de que la sencilla Juanita la creyera. También podía decir que Selina era una prima de visita que había tenido que quedarse a pasar la noche debido a la tormenta. Después de pensarlo un rato, resolvió que ésa era la mejor historia y tenía la ventaja extra de ser más o menos verdadera. Arrojó el cigarrillo al mar, bajó al bote y remó despacio de regreso a Casa Barco.

Juanita estaba en la cocina, hirviendo agua para el café.

—Buenos días, Juanita.

La mujer se volvió con una sonrisa.

—Buenos días, señor.

George decidió no andarse con rodeos.

—¿Despertaste a la señorita cuando sacaste el agua del pozo?

—No, señor, todavía duerme como un bebé.

George clavó la vista en su criada. La voz de Juanita era lírica y sus ojos brillaban con emoción.

Eso no era exactamente lo que él esperaba. Ni siquiera había tenido tiempo de contar su historia sobre la prima que había venido de visita y ahí estaba Juanita con mirada romántica, inocente y confiada... ¿por qué?

—¿Entonces... has subido a verla...?

—Sí, señor. Fui a ver si estaba despierta. Pero, señor —agregó, y su voz adoptó un tono de ligero reproche—, ¿por qué nunca me dijo que tenía una hija?

George tanteó el brazo del sillón a sus espaldas y se sentó en él.

—¿Nunca te lo dije? —preguntó con aire estúpido.

—No, jamás mencionó que tenía una hija. Y cuando al pasar por Cala Fuerte esta mañana María me contó que la hija del señor estaba alojada en Casa Barco, no pude creerlo. Pero es verdad.

George tragó saliva y dijo con calma forzada:

—María te lo dijo. ¿Y quién se lo dijo a María?

—Tomeu.

—¿Tomeu?

—Sí, señor. Un taxista la trajo aquí. El hombre pasó muchas horas en el bar de Rudolfo y le contó a Rosita, que trabaja allí, que había llevado a la hija del señor Dyer a Casa Barco. Rosita se lo contó a Tomeu cuando fue a comprar jabón en polvo, Tomeu se lo contó a María y María se lo contó a Juanita.

—Y al resto del pueblo, estoy seguro —masculló George en inglés y maldijo en silencio a Selina.

—¿Señor?

—No es nada, Juanita.

—¿No está contento de tener a su hija?

—Sí, por supuesto.

—No sabía que el señor había estado casado.

George pensó un segundo y replicó:

—Su madre murió.

Juanita estaba abrumada.

—No lo sabía, señor. ¿Y quién ha cuidado de la señorita?

—Su abuela —contestó George y se preguntó cuánto tiempo más podría seguir mintiendo sin ser descubierto—. Dime, Juanita... ¿Rudolfo sabe que... la señorita es mi hija?

—No he visto a Rudolfo, señor.

La pava empezó a hervir y Juanita llenó la cafetera de barro que George le había enseñado a usar. El aroma era delicioso, pero no logró animarlo. Juanita puso la tapa a la cafetera y comentó:

—Es muy hermosa, señor.

—¿Hermosa? —Sonó azorado, porque lo estaba.

—Claro que es hermosa. —Juanita pasó junto a él camino a la terraza con la bandeja del desayuno.

—El señor no tiene que fingir conmigo.

George tomó su desayuno. Una naranja, una ensaimada dulce y todo el café que había en la cafetera. Juanita se movía en el interior de la casa con pasos suaves y haciendo sonidos que indicaban que estaba limpiando. Un rato después, apareció con un cesto redondo lleno de ropa.

—La señorita se mojó mucho anoche con la tormenta. Le dije que dejara su ropa en el piso del baño.

—Sí, señor. La encontré.

—Ocúpate de ella lo más rápido posible, Juanita. No tiene otra cosa que ponerse.

—Sí, señor.

La mujer pasó junto a él y bajó los escalones

hacia su pequeña cueva, que era el lavadero. Allí restregó sábanas, medias y camisas imparcialmente, echó agua hirviendo en una tina amplia y utilizó un pan de jabón tan grande y tan duro como un ladrillo.

Lo primero que debía hacer era ir a ver a Rudolfo. Mientras cruzaba la casa, George alzó los ojos hacia la galería, pero no había movimiento ni sonido algunos. Maldijo por lo bajo a su visitante pero la dejó durmiendo y salió. Como no quería tomarse la molestia de abrir las puertas del garaje y arrancar el auto, se echó a caminar hacia el pueblo.

Se arrepentiría de eso. Antes de llegar al hotel Cala Fuerte, no menos de siete personas lo habían felicitado por la llegada de su hija. A medida que se sucedían los encuentros, George caminaba un poco más deprisa, como si estuviera haciendo una diligencia de una urgencia desesperada y dando la impresión de que, por mucho que quisiera detenerse para comentar la nueva y feliz situación, simplemente carecía de tiempo. En consecuencia, llegó al bar de Rudolfo sin aliento y empapado de sudor, con la sensación de haber caído en una trampa. Se detuvo en el vano de la puerta con cortinas. Jadeaba de agotamiento.

—Rudolfo. ¿Puedo pasar?

Rudolfo estaba lustrando vasos detrás del bar. Al ver a George, sus manos se quedaron quietas. Esbozó una sonrisa.

—George, amigo. —Bajó el vaso y salió de atrás del bar como para abrazarlo.

George lo miró con cautela.

—¿No vas a pegarme?

—Tú deberías pegarme a mí. Pero no lo sabía. Me enteré esta mañana, por Rosita, de que la señorita es tu hija. ¿Por qué no me lo dijiste anoche? Ni siquiera sabía que tenías una hija. Y tan bonita...

—Rudolfo, ha habido un error...

—El error fue mío. ¿Qué clase de hombre creerás que soy cuando escatimo un favor a un viejo amigo y a su hija?

—Pero...

Rudolfo levantó una mano.

—Nada de peros. Seiscientas pesetas —precisó y se encogió de hombros—. Bueno, no crecen en los árboles, pero tampoco me arruinarán.

—Rudolfo...

—Amigo, si dices algo más pensaré que no me has perdonado. Ven, tomemos un trago juntos... un coñac...

Era imposible. Se negaba a escuchar la verdad y George no iba a insistir.

—Preferiría un café...

Rudolfo fue a pedirlo a los gritos y George se instaló en uno de los taburetes del bar y prendió un cigarrillo.

—Recobrarás tu dinero —declaró cuando Rudolfo regresó—. Enviaremos un telegrama a Londres...

—Tendrán que ir a San Antonio para enviar un telegrama.

—Ah, sí. ¿Cuánto crees que tardará el dinero?

Rudolfo se encogió de hombros.

—Dos o tres días. Tal vez una semana. No importa. Puedo esperar una semana por seiscientas pesetas.

—Eres un buen hombre, Rudolfo.

—Pero me enojo. Sabes que me enojo.

—De todos modos eres un buen hombre.

Llegó el café, traído por Rosita, el origen inconsciente del problema. George la observó depositar las tazas minúsculas y se dijo que el engaño había ido demasiado lejos. Comprendió, con una leve inquietud, que ya no habría necesidad de pedir el segundo favor a Rudolfo. Si Selina fuera la hija de George, no tenía sentido que fuera a vivir al hotel Cala Fuerte.

Perla despertó a Selina. Había estado fuera toda la noche, estaba cansada de cazar y necesitaba un lugar muelle donde dormir. Entró en Casa Barco por la terraza, subió con paso ligero la escalera hacia la galería y saltó a la cama casi sin hacer ruido. Selina abrió los ojos y se encontró frente al rostro blanco y bigotudo. Los ojos de la gata eran de color verde jade, las pupilas oscuras, meras hendijas de satisfacción. Removió las sábanas un rato, armando un nido. Luego acomodó su cuerpo peludo, que parecía sin huesos, en la curva del de Selina y se dispuso a dormir.

Selina se volvió e hizo lo mismo.

La segunda vez, la despertaron con más rudeza.

—Vamos, es hora de levantarse. Son las once. ¡Vamos, arriba!

Alguien la sacudía y, cuando abrió los ojos, George Dyer estaba sentado en el costado de la cama. —Es hora de que te levantes —repitió.

—¿Mmm? —La gata seguía allí, pesada y tibia. George, una vez enfocado, parecía enorme. Llevaba una camisa de algodón azul y su expresión era sombría. Selina se inquietó. Nunca tenía buen aspecto a primera hora de la mañana.

—Es hora de levantarse.

—¿Qué hora es?

—Ya te lo dije. Casi las once. Tengo que hablar contigo.

—¡Oh! —Se sentó y buscó las almohadas, que habían desaparecido. George se agachó para recogerlas del piso y las apretujó detrás de ella.

—Ahora escucha —empezó—. Fui a ver a Rudolfo...

—¿Sigue enojado?

—No, no está enojado. Ya no. Verás, Rudolfo, y para el caso el pueblo entero, creen que de veras eres mi hija. Y sabes por qué lo piensan, ¿verdad? Porque tu taxista borracho, maldito sea, se lo dijo.

—¡Oh!

—Sí. Oh. ¿Tú le *dijiste* al taxista que yo era tu padre?

—Sí —admitió.

—¡Dios santo! ¿Por qué?

—Tuve que hacerlo, para que me trajera. Dije: "Mi padre pagará el viaje" y eso fue lo único que lo convenció.

—No tenías derecho a hacer algo así. A involucrar a un inocente...

—¿A usted?

—Sí, a mí. Ahora estoy metido en esto hasta el cuello.

—Nunca pensé que se lo diría a todo el pueblo.

—No lo hizo. Se lo dijo a Rosita, la joven que trabaja en el bar de Rudolfo. Y Rosita se lo contó a Tomeu. Y Tomeu se lo dijo a su madre. Y María es la Estación Oficial de Recepción y Trasmisión en esta parte de la isla.

—Entiendo. Lo siento. ¿No podemos decirles la verdad?

—Ahora no.

—¿Por qué ahora no?

—Porque la gente aquí... —comenzó a explicar y eligió las palabras con cuidado— ... posee pautas morales muy rígidas.

—¿Entonces por qué me permitió quedarme anoche?

George estaba exasperado.

—Por la tormenta. Por la pelea con Rudolfo. Porque no había ninguna alternativa.

—¿Y usted ha dicho que soy su hija?

—No he dicho que no lo seas.

—Pero usted es demasiado joven. Anoche lo dedujimos.

—Nadie más debe saberlo.

—Pero no es verdad.

—No era verdad cuando se lo dijiste al taxista.

—¡Sí, pero yo no *sabía* que no era verdad!

—Y yo lo sé. ¿De acuerdo? Bueno, lamento ofender tus principios, pero esas personas son mis amigos y no quiero desilusionarlos. No porque tengan muchas ilusiones sobre mí, pero al menos no me creen un mentiroso.

Selina todavía parecía preocupada, así que George cambió de tema.

—Ahora, acerca del dinero. Dices que podemos enviar un telegrama a tu Banco...

—Sí.

—Pero no desde Cala Fuerte. Tenemos que ir a San Antonio para despachar un telegrama. Podemos mandarlo directamente a tu Banco o, se me ocurrió

130

mientras volvía a casa, podríamos contactar a tu abogado...

—¡Oh, no! —saltó Selina con tanta vehemencia que George enarcó las cejas con sorpresa.

—¿Por qué no?

—Mejor enviemos el telegrama al Banco.

—Pero tu abogado podría acelerar mucho el trámite.

—No quiero contactarme con Rodney.

—¿No te cae bien?

—No se trata de eso. Es sólo que... bueno, él pensó que todo este asunto de venir a buscar a mi padre era una locura.

—Tal como sucedieron las cosas, no estaba tan errado.

—No quiero que sepa que todo resultó un fiasco. Trate de entender.

—Bueno, claro, te entiendo, pero si ayudara a que el dinero estuviera aquí con más rapidez... —La expresión terca de Selina no se alteró y George, de pronto harto de todo el asunto, dejó de intentar persuadirla. —Está bien. Es tu dinero y tu tiempo. Y tu reputación.

Selina ignoró eso.

—¿Quiere que vayamos hoy a San Antonio?

—En cuanto te hayas levantado y vestido. ¿Tienes hambre?

—No mucha.

—¿Y qué me dices de una taza de café?

—Si hay...

—Te prepararé una.

Se hallaba a mitad de camino en la escalera cuando ella lo llamó:

—Señor Dyer...

Se volvió; sólo la mitad superior de su cuerpo era visible.

—No tengo nada que ponerme —explicó Selina.

—Hablaré con Juanita.

La encontró en la terraza, planchando. El cable de la plancha atravesaba la ventana abierta.

—Juanita.

—Señor.

—Las cosas de la señorita... ¿Están listas?

—Sí, señor. —Sonrió, encantada con su propia eficiencia, y le entregó una pila de ropa doblada con prolijidad. George le agradeció y entró de nuevo en la casa. En ese instante, Selina bajaba de la galería. Todavía con el pijama de él, estaba desarreglada y soñolienta.

—Toma —dijo, y le dio la pila.

—¡Oh, qué estupendo!

—Es uno de los servicios de este hotel.

—Qué rapidez... Nunca pensé... —Las palabras se desvanecieron. George frunció el entrecejo. De lo alto de la pila de ropa, Selina tomó su vestido. O lo que quedaba de él. Juanita había lavado la excelente lana inglesa del mismo modo en que lavaba el resto de la ropa sucia. Con agua caliente, jabón fuerte y mucho fregado. Selina sostuvo el vestido a distancia. Podría haberle quedado a una niñita de seis años y lo único que lo hacía reconocible era la etiqueta de seda de Fortnum and Mason en la parte interna del cuello.

Hubo un largo silencio. Luego George comentó:

—Quedó pequeñito.

—¡Lo lavó! ¿Por qué lo lavó? No hacía falta lavarlo; sólo estaba mojado...

—Si alguien tiene la culpa, soy yo. Le dije a

132

Juanita que lo lavara, y si yo le digo a Juanita que haga algo, lo hace. —Empezó a reír.

—No me parece gracioso. Usted se ríe, pero, ¿qué voy a ponerme?

—¿Qué otra cosa se puede hacer excepto reír?

—Podría echarme a llorar.

—No serviría de nada.

—No puedo estar todo el día en pijama.

—¿Por qué no? Es lindo.

—No puedo ir a San Antonio en pijama.

Todavía muy divertido, pero tratando de ser razonable, George se rascó la nuca.

—¿Y tu abrigo?

—Me moriría de calor. ¿Por qué tienen que ocurrir todas estas cosas tan, tan horribles?

Intentó calmarla.

—Escucha...

—*¡No escucharé nada!*

Era un típico ejemplo del error de discutir con una mujer y George perdió la paciencia.

—De acuerdo entonces, no escuches. Tírate en la cama y llora durante el resto del día. Pero antes ayúdame a redactar un telegrama para enviar a tu Banco. Lo llevaré a San Antonio. Tú puedes quedarte aquí con tu malhumor.

—Decir eso es muy injusto y horrible de su parte...

—De acuerdo, Junior, es horrible. Tal vez digo cosas horribles porque soy una persona horrible. Es mejor que lo hayas averiguado a tiempo. Ahora ven, siéntate y pon en funcionamiento tu cerebro infantil para componer el telegrama.

—No tengo un cerebro infantil —se defendió Selina—. Y aunque lo tuviera, no me conoce lo suficiente para saberlo. Lo único que estoy diciendo es que no puedo pasearme en ropa interior todo el día...

—Mira, esto es Cala Fuerte, San Antonio, no Queen's Gate, S.W.7. Personalmente, no me importa que te pasees completamente desnuda, pero preferiría juntarme con ese dinero lo antes posible y devolverte sin abrir, por así decirlo, a los jardines de Kensington y a tu niñera.

Inclinado sobre el escritorio, buscaba una hoja de papel y un lápiz. Ahora levantó la vista, sus ojos marrones eran inescrutables.

—Si fueras más grande y más experimentada, supongo que ya me habrías abofeteado.

Selina se dijo que si lloraba, de furia o por cualquier otro motivo, jamás se lo perdonaría. Respondió con voz apenas trémula:

—Esa idea jamás me cruzó por la mente.

—Bien. No dejes que lo haga. —George se sentó al escritorio y acercó la hoja de papel. —Ahora, el nombre de tu Banco...

8

Después de la frescura quieta y umbría de Cala Fuerte, San Antonio esa tarde parecía calurosa, polvorienta y excesivamente atiborrada. El tránsito congestionaba las calles. Autos ruidosos, motonetas, carros de madera tirados por mulas y bicicletas. Las aceras angostas estaban tan atestadas que los peatones, indiferentes a la vida, se desbordaban a las aceras y George descubrió que era imposible avanzar sin mantener la mano en la bocina casi de manera permanente.

La oficina de telegramas y su Banco estaban situados en la plaza principal de la ciudad, en lados opuestos y separados por senderos flanqueados por árboles y fuentes. George estacionó el auto en un sitio sombreado y prendió un cigarrillo. Entró primero en el Banco para averiguar si por casualidad le habían girado el dinero de Barcelona. En ese caso, planeaba retirar todo el monto en efectivo, romper el telegrama de Selina y después ir derecho al aeropuerto y comprarle un billete de vuelta a Londres.

Pero el dinero todavía no había llegado. El cajero

sugirió con amabilidad que si George deseaba tomar asiento y esperar tal vez cuatro o cinco horas, trataría de comunicarse con Barcelona para averiguar qué había ocurrido. George inquirió con gran interés por qué tendría que aguardar cuatro o cinco horas para que le dijeran que el teléfono estaba roto y aún sin reparar.

Después de seis años de vivir en la isla, todavía oscilaba entre la exasperación y la diversión por la actitud local hacia el tiempo. Pero agregó que no importaba, se las arreglaría sin el dinero. Salió del Banco, cruzó la plaza y subió la impresionante escalera hacia los altos pasillos de mármol de la oficina de telegramas.

Redactó el mensaje en un formulario oficial y se sumó a una cola lenta y pesada. Cuando por fin fue su turno y llegó a la ventanilla con rejas, su paciencia se estaba acabando. El hombre detrás de la ventanilla tenía una cabeza marrón lustrada, una verruga en la nariz y no hablaba inglés. Le tomó un tiempo largo leer el mensaje, contar las palabras y consultar los manuales. Por fin, selló el formulario y dijo a George que le costaría noventa y cinco pesetas.

George pagó.

—¿Cuándo llegará a Londres?

El hombre miró el reloj.

—Esta noche... quizá.

—¿Lo enviará de inmediato?

El empleado con la verruga en la nariz no se dignó responder. Miró por sobre el hombro de George.

—El que sigue, por favor.

No había nada más que hacer. George abandonó

el edificio, encendió otro cigarrillo y consideró el próximo paso a dar. Al final, decidió que valdría la pena ir al Yacht Club a recoger su correspondencia, pero no en auto. Empezó a caminar.

El gentío le producía claustrofobia. Se detenía en mitad de las calles, corriéndose a un costado de tanto en tanto para dejar pasar a los vehículos que lo rozaban. En lo alto, balcones pequeños bullían llenos de gente. Abuelitas enormes vestidas de negro, sentadas con sus bordados, disfrutaban del sol de primavera. Grupos de niños con ojos como uvas espiaban por entre las barandas de hierro forjado; la ropa lavada, colgada como banderas de festejo, zigzagueaba de un lado a otro de la calle. Y en todas partes se sentía el olor de San Antonio. De aguas de desagüe y pescado, madera de cedro y cigarrillos Ideales, dominado por los olores no identificados del puerto que soplaban desde el mar.

Llegó a una pequeña encrucijada y se detuvo en el borde de la acera para esperar que el tránsito se aclarase y le permitiera cruzar. Un inválido en un pequeño puesto vendía billetes de lotería. En la esquina, la vidriera de una tienda exhibía blusas bordadas, vestidos de algodón, sombreros de playa, zapatos y trajes de baño.

George pensó en Selina. Se dijo que no veía la hora de ponerla en el avión a Londres y desembarazarse de ella, pero no podría viajar si no tenía un vestido para ponerse. Tal vez debiera comprarle uno. Pero incluso al entrar en la tienda, se le ocurrió una segunda idea mucho más divertida.

—Buenos días, señor —dijo la mujer pelirroja y se puso de pie detrás del mostrador de vidrio.

—Buenos días —repuso George y, con expresión seria, le explicó lo que deseaba.

Cinco minutos después, estaba de vuelta en las calles atiborradas. Llevaba el pequeño paquete envuelto cuidadosamente en papel rayado blanco y rosa. Todavía sonreía para sus adentros cuando la bocina del auto sonó a sus espaldas. Profirió una maldición y se hizo a un lado. La trompa larga y negra de un Citroën le rozó el trasero y se detuvo.

—Bueno —exclamó una voz inconfundible—. Miren quién está en la ciudad.

Era Frances. Sentada en su vehículo abierto, parecía sorprendida y complacida. Llevaba anteojos de sol, un sombrero de paja de hombre ladeado sobre la nariz y una camisa rosa pálido. Se estiró para abrir la puerta.

—Sube. Te llevo.

George se instaló junto a ella. El tapizado de cuero estaba tan caliente que sintió como si lo estuvieran asando a la parrilla, pero antes de que hubiera siquiera cerrado la puerta, Frances ya había arrancado despacio y se abría camino entre la multitud.

—No pensé que regresarías tan pronto.

—Yo tampoco.

—¿Cuándo llegaste?

—Hace media hora más o menos. Tenía que enviar un telegrama.

Frances no hizo ningún comentario sobre eso. Otro grupo de peatones se había congregado adelante. Señoras gordas con vestidos de algodón y chaquetas de lana blanca, sombreros de paja muy nuevos y rostros dolorosamente bronceados. Frances hizo sonar la bocina de vuelta y las mujeres, asombradas, levantaron la vista de las postales que habían estado comprando y retrocedieron a la acera ya repleta.

—¿De dónde diablos salieron? —inquirió George.

—De un crucero. El primero de la temporada.

—¡Oh, Dios! ¿Ya comenzó?

Frances se encogió de hombros.

—Hay que resignarse. Al menos aporta dinero en efectivo a la ciudad. —Observó el paquetito en las rodillas de él. —¿Qué compraste en la tienda de Teresa?

—¿Cómo sabes que fue en la tienda de Teresa?

—Por el papel rayado blanco y rosa. Estoy intrigada.

George pensó un momento.

—Son pañuelos —respondió.

—No sabía que los usabas. —Habían llegado a la calle principal de la ciudad, una arteria de tránsito controlada por un miembro de la Guardia Civil con muy mal carácter. Frances rebajó a segunda y preguntó: —¿Adónde quieres ir?

—Podría haber correspondencia en el Yacht Club.

—¿No la recogiste ayer?

—Sí, pero podría haber más.

Lo miró de reojo.

—¿Llegaste bien a tu casa?

—Seguro.

—¿El barco está bien?

—Sí, está bien. ¿Pasó por aquí la segunda tormenta de anoche?

—No, nos esquivó.

—Tuvieron suerte. Fue impresionante.

Esperaron en el semáforo hasta que la luz roja se puso verde. Luego Frances giró para tomar una calle angosta que los condujo al camino amplio del puerto. Esa era la parte que a George más le gustaba de San Antonio, colmada de bares alegres en los muelles y tiendas de artículos navales, con olor a alquitrán, cereales y parafina. El puerto estaba lleno de embarcaciones. Goletas isleñas, barcos, el buque de Barcelona dando presión de vapor para zarpar y el crucero de Bremen, amarrado en la escollera norte.

George divisó un barco desconocido, nuevo desde el día anterior.

—Tiene bandera holandesa —comentó.

—Se trata de un joven llamado Van Trikker. Está haciendo una circunnavegación. —Frances se ocupaba de averiguar esas cosas.

—¿Por el Mediterráneo?

—¿Por qué no? Para eso está el canal de Suez.

George sonrió. Frances se inclinó hacia adelante, sacó un paquete de cigarrillos del estante del tablero y se lo entregó. George lo tomó y prendió uno para cada uno. Cuando llegaron al Yacht Club, él entró a buscar su correspondencia y ella lo esperó sentada en el auto. Regresó con dos cartas apretujadas en el bolsillo trasero del pantalón.

—¿Y ahora adónde? —inquirió Frances.

—Tomaré un trago.

—Iré contigo.

—¿No deberías estar vendiendo la obra de Olaf Svensen a todos esos turistas encantadores?

—Tengo una joven estudiante trabajando para mí. Ella se ocupará de los alemanes. —Hizo doblar el auto con un único giro. —Yo prefiero ocuparme de ti.

Fueron al bar de Pedro, a cierta distancia sobre el camino. Pedro había sacado algunas mesas y sillas a la acera ancha y se sentaron a la sombra de un árbol. George pidió una cerveza para él y un coñac para Frances.

—Querido, te has vuelto demasiado abstemio de pronto.

—Tengo mucha sed.

—Espero que no sea doloroso.

Alargó una mano a las cartas que él había guardado en el bolsillo y las depositó sobre la mesa.

—Ábrelas —pidió.

—¿Por qué?

—Porque soy curiosa. Me gusta saber lo que dicen las cartas, en especial las ajenas. Me desagrada la idea de que envejezcan con gracia, como ancianas bien educadas. Vamos... —Tomó un cuchillo de la mesa puesta con descuido y rasgó las tapas de los sobres. —Ahora todo lo que tienes que hacer es sacarlas y leerlas.

George le dio el gusto y lo hizo. La primera era de una revista náutica que decía que le pagarían ocho libras y diez chelines por un artículo que les había enviado.

Entregó la carta a Frances y ella la leyó.

—¿Viste? ¿Qué te dije? Buenas noticias.

—Es mejor que nada. —Extrajo la segunda carta.

—¿De qué trataba el artículo?

—De timones autodirigidos.

Frances le palmeó la espalda.

—Bueno, eres un chico muy inteligente... ¿De quién es ésa?

Era de su editor, pero George la estaba leyendo y no oyó la pregunta.

Señor George Dyer,
Club Nautica,
San Antonio,
Baleares,
España.

Estimado señor Dyer:
Le he escrito no menos de cinco cartas durante los últimos cuatro meses con la esperanza de que nos enviara al menos una especie de sinopsis para un segundo libro que sucediera a *Fiesta en Cala Fuerte*. No he recibido ninguna respuesta. Todas estas cartas fueron dirigidas al Club Nautica en San Antonio y ahora me pregunto si tal vez éste no sea más su Poste Restante.

Como le señalé cuando convinimos en publicar *Fiesta en Cala Fuerte*, un segundo libro es importante si queremos mantener el interés del público en usted como escritor. *Cala Fuerte* se ha vendido bien y ha entrado en su tercera impresión. También estamos en tratos para realizar una edición de bolsillo. Pero necesitamos pronto un segundo libro suyo, de lo contrario, sus ventas podrían deteriorarse.

Es lamentable que no hayamos podido encontrarnos para discutir este asunto personalmente, pero creo que cuando aceptamos publicar *Fiesta en Cala Fuerte*, fui claro en el sentido de que sólo lo haríamos con la condición de que fuera el primero de una serie. Y tuve la impresión de que usted así lo entendió.

En cualquier caso, le agradecería que respondiera a esta carta.

Atentamente,

ARTHUR RUTLAND

Leyó la carta dos veces y la dejó caer sobre la mesa. El mozo había traído los tragos y la cerveza estaba tan fría que escarchó el vaso alto. Cuando George lo tomó, sintió como si tocara hielo.

—¿De quién es? —preguntó Frances.

—Léela.

—No quiero leerla si prefieres que no lo haga.

—Oh, léela.

Lo hizo y George bebió su cerveza.

Cuando terminó, Frances comentó:

—Vaya carta. ¿Quién diablos cree que es?

—Mi editor.

—¡Por el amor de Dios, no firmaste ningún contrato!

—A los editores no les gustan los hombres que escriben un único libro, Frances. Prefieren nada o una producción buena y uniforme.

—¿Ya te ha escrito antes?

—Sí, por supuesto que sí. Ha estado importunándome durante los últimos cuatro o cinco meses. Por eso he renunciado a abrir mis cartas.

—¿Has *tratado* de escribir un segundo libro?

—¿Tratado? Me he herniado en el intento. ¿Sobre qué diablos voy a escribir? Sólo redacté el primer libro porque pensaba que me estaba quedando sin dinero y el invierno era largo y frío. Nunca creí que se publicaría.

—Pero has andado mucho, George... has hecho

tantas cosas. Ese crucero en el Egeo...

—¿Piensas que no traté de escribir sobre eso? Me pasé tres semanas golpeando las teclas de mi máquina y resultó tan aburrido leerlo como escribirlo. De todos modos ya fue hecho antes. Todo ha sido hecho antes.

Frances dio una pitada final a su cigarrillo y lo apagó con cuidado en el cenicero. Sus manos tostadas eran tan grandes como las de un hombre y las uñas largas estaban pintadas de rojo brillante. Usaba una pulsera de oro pesada que al mover el brazo chocaba contra la madera de la mesa.

—¿Es tan desastroso? —aventuró—. Después de todo, escribiste un libro de éxito. Si no puedes escribir un segundo, bueno, simplemente no puedes.

Un bote se estaba deslizando fuera de la dársena del club. El ruido de las cadenas llegó a través del agua de las cadenas y la vela se elevó en el mástil. Colgó floja un instante, luego el muchacho en la caña del timón giró la embarcación y la vela tembló un poco y se desplegó. Se hinchó en una curva uniforme y fuerte y el bote se inclinó y avanzó hacia adelante. Fue empujado más hacia el viento y se inclinó otra vez.

—No me gusta romper una promesa —declaró George.

—Oh, querido, hablas como si fuera algo personal.

—¿No lo es?

—No; es un asunto comercial.

—¿Tú romperías una promesa comercial así como así?

—Desde luego que no. Pero escribir no es lo

mismo que vender acciones o llevar un libro de cuentas. Es algo creativo y no se rige por las mismas reglas. Si sufres un bloqueo de escritor, entonces no puedes hacer nada.

—Un bloqueo de escritor —repitió George con amargura—. ¿Así se llama?

Frances le apoyó en el brazo una mano, pesada debido a la pulsera.

—¿Por qué no lo olvidas? Escribe al señor... —miró la firma en la carta— ...Rutland y dile que bueno, que si eso es lo que siente, no habrá más libros.

—De veras crees que podría hacerlo, ¿no? ¿Y después qué?

Frances se encogió de hombros.

—Bueno... —Su voz comenzó a arrastrar las palabras. —Hay otras diversiones.

—Por ejemplo.

—En dos semanas será Pascua. —Levantó el cuchillo que había usado para abrir los sobres y comenzó a delinear la veta de la mesa con la punta. —Me invitaron a Malagar para la corrida del domingo de Pascua. Tengo amigos allí, norteamericanos. Son grandes aficionados. En Malagar están los mejores toros y los mejores toreros de España. Y hay fiestas de día y de noche.

—Suena como el sueño de un agente de viajes.

—No te irrites conmigo, querido. No escribí esa carta. Sólo la leí.

—Lo sé, lo lamento.

—¿Vendrás conmigo? ¿A Malagar?

El mozo revoloteaba cerca. George lo llamó, pagó los tragos y el muchacho retiró los vasos. George le dio una propina y cuando el chico se hubo ido, tomó su gorra, el paquete con el papel rayado blanco y rosa y las dos cartas.

—No contestaste a mi pregunta.

George se puso de pie y sostuvo el respaldo de la silla.

—Creo que olvidas que nunca fui un aficionado. Me desmayo cuando veo sangre.

—Quiero que estés allí... —insistió ella, como una niña.

—Arruinaría todo.

Frances desvió el rostro para no revelar su desilusión.

—¿A dónde vas ahora?

—De regreso a Cala Fuerte.

—¿No puedes quedarte?

—No, debo volver.

—No me digas que tienes que alimentar a esa gata de nuevo.

—Tengo más cosas que alimentar además de la gata. —Le tocó el hombro a manera de despedida. —Gracias por llevarme en el auto.

La oscuridad descendía en tanto George manejaba de regreso a Cala Fuerte. Cuando el sol desapareció del cielo, el aire se volvió frío. Al anochecer, se detuvo junto a una granja solitaria y se puso el suéter extra que llevaba consigo. Cuando su cabeza emergió por el cuello del suéter, vio a la esposa del granjero salir de la casa para extraer agua del pozo. La puerta abierta resplandecía con una luz amarilla y la figura de la mujer se recortaba contra ella. George le gritó "Buenas tardes", y la mujer se acercó para conversar un poco. Apoyó el cántaro de agua contra su cadera y le preguntó de dónde venía y a dónde iba.

George tenía sed, de modo que le pidió un trago de agua y luego prosiguió su camino. Los faros delanteros del coche sondeaban la noche de color zafiro. Las primeras estrellas comenzaron a marcar el cielo y San Esteban era un centro de luces en la sombra de la montaña. Al descender el último trecho del camino hacia Cala Fuerte, el viento sopló desde el mar, llevando el fresco olor resinoso de los pinos.

Inexplicable pero inevitablemente, esa sensación de volver a casa siempre le levantaba el ánimo. Ahora más alegre, se dio cuenta de lo deprimido y cansado que se había sentido todo el día. Nada había salido demasiado bien. La carta del señor Rutland era un peso adicional en su conciencia y todavía cargaba con la señorita Queen's Gate. Se preguntó cómo habría pasado el día y se dijo que en realidad no le importaba mucho. Pero mientras avanzaba por la última pendiente del camino hacia Casa Barco, no podía dejar de esperar que no siguiera resentida.

Guardó el auto en el garaje, apagó el motor y consultó su reloj. Eran más de las ocho. Se apeó, cruzó el sendero, abrió la puerta de Casa Barco y entró. No parecía haber nadie, aunque la casa atestiguaba una cierta cuota desusada de cuidado y atención. El fuego ardía, las lámparas estaban encendidas y la mesita baja junto al hogar estaba puesta con un mantel azul y blanco que George ignoraba que poseía, cuchillos, tenedores y vasos. También había un bol con flores silvestres y el aire estaba impregnado de un delicioso olor a comida.

Se quitó la gorra, la dejó y salió a la terraza. Su calzado de suela de soga era silencioso, pero la terraza estaba vacía y no había señales de su huésped. Se inclinó sobre la pared, pero las gradas estaban desiertas y el único sonido era el susurro del agua y el crujir de su bote de remos al tironear de las amarras. Luego, desde una de las cafeterías del puerto, se elevaron los acordes suaves de una guitarra y una mujer empezó a cantar. El extraño canto en dos tonos constituía una de las herencias moriscas de la isla.

George frunció el entrecejo con desconcierto y volvió a entrar en la casa. La galería estaba a oscuras, pero había luz en la cocina. Caminó hasta la mesada y se inclinó sobre ella. Se sorprendió al hallar a Selina acuclillada frente al horno abierto, enmantecando una fuente con enorme concentración.

—Buenas noches —dijo desde arriba.

Selina alzó la vista. No la había sobresaltado y George comprendió que ella había sabido todo el tiempo que él estaba allí. Era desconcertante. Parecía darle a ella una especie de ventaja.

—¡Hola! —respondió Selina.

—¿Qué estás haciendo?

—Preparando la cena.

—Huele bien.

—Espero que esté rica. Me temo que no soy muy buena cocinera.

—¿Qué es?

—Carne con cebollas, ajíes y cosas por el estilo.

—Pensé que no había comida en la casa.

—No había. Fui a comprarla a la tienda de María.

—¿De veras? —Estaba impresionado. —Pero María

148

no habla nada de inglés.

—No, lo sé. Pero encontré un diccionario en el cajón de tu escritorio.

—¿Y cómo pagaste?

—Me temo que lo cargué en tu cuenta. También me compré un par de alpargatas. Valían ocho pesetas. Espero que no te moleste.

—En absoluto.

Selina escudriñó la fuente con aire crítico.

—¿Qué te parece?

—Estupendo.

—Pensé en asar la carne pero no hallé nada excepto aceite de oliva y supuse que no serviría.

Tomó un repasador, tapó la fuente fragante y volvió a ponerla dentro del horno. Cerró la puerta y se puso de pie. Se miraron sobre la mesada y ella inquirió:

—¿Tuviste un buen día?

En medio del despliegue doméstico, George había olvidado todo acerca de su día.

—¿Qué...? Oh, sí. Sí.

—¿Enviaste el telegrama?

—Sí. Sí, envié el telegrama. —Tenía unas pecas en la nariz y, bajo la luz, el cabello sedoso brillaba con inesperadas hebras rubias.

—¿Cuánto dijeron que tardará?

—Lo que pensábamos. Tres o cuatro días. —Se apoyó sobre los antebrazos cruzados. —¿Y qué hiciste tú durante todo el día?

—Ah... —Parecía nerviosa. Sin saber qué hacer con las manos, limpió la superficie de la mesada con el repasador que aún sostenía, como una cantinera diligente. —Bueno, me hice amiga de Juanita, me lavé el pelo y me senté al sol en la terraza...

—Tienes pecas.

—Sí, lo sé. Es horrible. Y después fui al pueblo a hacer las compras. Tardé muchísimo porque todos querían hablarme y, por supuesto, no entendía ni una palabra de lo que me decían. Cuando volví, pelé las verduras...

—Y prendiste el fuego... —la interrumpió él—. Y arreglaste unas flores...

—¡Lo notaste! Mañana estarán marchitas, son silvestres. Las recogí cuando volvía del pueblo. —George permaneció callado y ella prosiguió con rapidez, como si temiera un intervalo en la conversación. —¿Comiste algo?

—No. No almorcé. Tomé una cerveza a las cuatro.

—¿Estás hambriento?

—Famélico.

—Prepararé una ensalada. Estará lista en diez minutos.

—¿Estás sugiriendo que debo ponerme un esmoquin y una corbata de moñito?

—No, de ninguna manera.

George le sonrió, se enderezó y se desperezó.

—Haré un trato contigo. Me lavaré la tierra de las orejas y tú me servirás un trago.

Selina no parecía convencida.

—¿Qué clase de trago?

—Un whisky con soda. Y hielo.

—No sabría cuánto whisky poner.

—Dos dedos. —Le mostró cómo medir. —Bueno, quizá tres de los tuyos. ¿Entiendes?

—Puedo intentarlo.

—Buena chica. Hazlo.

Tomó una camisa limpia y se dio una ducha

rápida y helada. Ya vestido, se estaba peinando cuando su imagen en el espejo le dijo que necesitaba una afeitada.

Enfrentó con coraje a su reflejo y le respondió sin melindres que necesitaba ese trago mucho más.

La imagen adquirió una voz interna santurrona.

"Si ella puede poner la mesa y molestarse en recoger un puñado de flores, seguramente tú puedes afeitarte."

"Nunca le pedí que recogiera las malditas flores."

"Tampoco le pediste que cocinara la cena, pero te la vas a comer."

"¡Oh, cállate!", exclamó George para sí y tomó la afeitadora.

Realizó la tarea en la forma debida, rematándola con los restos de una loción para después de afeitarse con tan poco uso que había empezado a cuajarse en el fondo del frasco.

"Oh, muy bien", dijo ahora su reflejo mientras retrocedía para admirarlo.

"¿Satisfecho?", inquirió George y la imagen le devolvió una sonrisa sardónica.

El whisky lo aguardaba en la mesa junto al fuego, pero Selina había regresado a la cocina y estaba revolviendo una ensalada en el bol grande de madera. George tomó su radio a transistores y se sentó de espaldas al fuego. Trató de encontrar alguna música que pudieran escuchar.

—Hay una fiesta en el puerto. Se oyen los cantos —comentó ella.

—Lo sé. Son cautivantes, ¿no?

—La melodía suena extraña.

—Claro. Es morisca.

La radio, después de chirridos y gorjeos, emitió

música suave de guitarra. George la apoyó y tomó su vaso.

—Espero que tu trago esté bien —dijo Selina.

George lo probó. Estaba demasiado fuerte.

—Perfecto —contestó.

—Ojalá que la cena también esté perfecta. Debí haber comprado pan fresco en la tienda de María, pero parecía haber cantidades, así que no lo hice.

—Juanita es una adicta secreta al pan. Lo come como refrigerio con queso de cabra y un vaso de vino tinto. No entiendo cómo se mantiene despierta.

Selina levantó el bol de la ensalada, salió de atrás de la mesada y lo apoyó en el centro de la mesa puesta. Llevaba una camisa rayada azul y verde que a George nunca le había gustado hasta ese momento y un pantalón azul marino, muy pulcros y ceñidos en la cintura con una tira angosta de cuero. George había olvidado por completo el motivo de la discusión de esa mañana. Todo el ridículo asunto se había borrado de su mente, pero ahora, su subconsciente reaccionó de manera tardía y reconoció el cinto como uno de los suyos. Cuando Selina se alejaba de regreso a la cocina, él estiró una mano y lo tomó.

—¿De dónde sacaste ese pantalón?

Selina, como un cachorrito sujeto de la cola, repuso:

—Es tuyo.

El tono casual no fue convincente.

—¿Es mío? —Lo era. Era su mejor pantalón azul de sarga. Bajó el vaso y la obligó a volverse. —Pero te queda bien. —Selina lo miró a los ojos, pero sólo unos segundos. —¿Qué hiciste con mi mejor pantalón?

—Bueno... —Sus ojos se agrandaron. —Verás, cuando te fuiste esta mañana, bueno, no tenía mucho que hacer así que estaba acomodando cosas y advertí que, eh, este pantalón que tenías anoche estaba algo sucio. Quiero decir, tenía unas manchas en un costado de la pierna, de salsa o algo parecido. Así que lo llevé abajo, se lo mostré a Juanita y ella lo lavó. Y encogió.

Después de esa escandalosa mentira, tuvo la decencia de parecer un poco avergonzada.

—Esa es una maldita mentira —la increpó George— y lo sabes. Ese pantalón acababa de volver de la tintorería y, desde que *yo* regresé de San Antonio, te has portado como un gato con dos colas. Y yo, pobre tonto equivocado, imaginé que era porque habías sido generosa y cocinado una buena cena al viejo George. Pero no era así, ¿verdad?

—Pero no tenía *nada* que ponerme —declaró Selina con tono quejumbroso.

—Y por eso te vengaste en mi mejor pantalón.

—No fue una venganza.

—Todo porque no sabes tomar una broma.

—Bueno, tú no pareces estar tomando ésta muy bien.

—Es diferente.

—¿Por qué es diferente?

La miraba con furia, pero el enojo inicial ya se estaba diluyendo. La situación era cómica. Además, había un brillo en los ojos de Selina que sugería un aspecto completamente insospechado de su personalidad.

—Nunca creí que tendrías las agallas de defenderte —precisó George.

—¿Por eso estás enojado...?

—No, por supuesto que no. Me alegro de que tengas agallas. En todo caso —añadió mientras recordaba con placer que podía superar la mala jugada que ella le había hecho—, tengo algo para ti.

—¿En serio?

—Sí. —Había dejado el paquete junto con la gorra y fue a buscarlo. —Te compré un regalo en San Antonio. Espero que te guste.

Selina estudió el diminuto paquete con aire de duda.

—No puede ser ropa...

—Ábrelo y mira —la urgió George y volvió a tomar su vaso.

Selina lo hizo. Desató los nudos del hilo con gran meticulosidad. El papel cayó y ella sostuvo en alto las dos partes del menudo bikini rosado que él le había comprado.

—Estabas tan preocupada esta mañana porque no tenías qué ponerte —señaló George con seriedad—. Espero que el color te siente.

Selina no sabía qué decir. El bikini le parecía insinuante y escandaloso. Y que George Dyer se lo hubiera regalado hacía más incómoda la situación. Sin duda él no imaginaría que ella iba a ponérselo alguna vez, ¿no?

No lo miró. Sonrojada, consiguió decir:

—Gracias.

George empezó a reír. Selina levantó la cabeza y frunció el entrecejo.

—¿Nunca nadie te hizo una broma? —preguntó suavemente.

Selina se sintió como una tonta. Meneó la cabeza.

—¿Ni siquiera la niñera? —Habló con una voz

ridícula y, al instante, la incomodidad se convirtió en diversión.

—¡Oh, no hables más sobre la niñera! —lo reprendió, pero la actitud alegre de él era contagiosa como el sarampión.

—No dejes de sonreír —le sugirió George—. Deberías sonreír todo el tiempo. Eres muy bonita cuando sonríes.

9

A las siete y media de la mañana siguiente, George Dyer abrió la puerta a Juanita y la encontró, como siempre, sentada en la pared con las manos en la falda y un cesto a los pies. El cesto estaba cubierto con un paño blanco limpio y Juanita sonrió con timidez al recogerlo y entrar en la casa.

—¿Qué tienes ahí, Juanita?

—Es un regalo para la señorita. Unas naranjas del árbol de Pepe, el esposo de María.

—¿Las envía María?

—Sí, señor.

—Qué amable.

—¿La señorita todavía duerme?

—Eso creo. No he ido a ver.

Mientras Juanita sacaba agua para preparar el café, George abrió los postigos y dejó que la mañana entrara en la casa. Salió a la terraza y el piso de piedra estaba frío bajo sus pies. El *Eclipse* estaba sereno, sus crucetas blancas contra los pinos de la orilla lejana. Decidió que tal vez llevaría la hélice nueva. De lo contrario, no tenía nada que hacer. El día se extendía ante él, gloriosamente vacío, para ser usado según eligiera. Levantó la vista y pensó

157

que el cielo tenía buen aspecto. Había una cierta cantidad de nubes tierra adentro, más allá de San Esteban, pero la lluvia siempre se congregaba alrededor de los picos altos de las montañas; sobre el mar, en cambio, estaba claro y despejado.

El ruido del balde al bajar por el pozo había despertado a Selina, que poco después se unió a George, con la camisa que había tomado prestada la noche anterior y, al parecer, no mucho más. Sus piernas largas y esbeltas ya no estaban pálidas, sino ligeramente bronceadas, del color de un huevo fresco. Se había recogido el cabello en un rodete candoroso del cual colgaban uno o dos mechones largos. Se acercó a la pared de la terraza para inclinarse junto a George y él reparó en la cadena de oro que llevaba alrededor del cuello y que sin duda sostenía un relicario de la infancia o una cruz de oro de confirmación. Siempre le había disgustado la palabra inocencia, asociándola como lo hacía, con bebés gordos y rosados y postales brillosas de gatitos simpáticos. Pero ahora, le vino a la mente de manera espontánea, clara e inconfundible como el tañido de una campana.

Selina observaba a Perla, que realizaba su lavado matinal en una pequeña mancha de sol un escalón más abajo. De tanto en tanto, un pez se escurría veloz por los bajos y la gata paraba de lamerse. Se quedaba muy quieta, con las patas traseras erguidas como un poste de alumbrado, para luego retomar su tarea.

—El día que Tomeu nos trajo a Casa Barco —comentó Selina—, había dos pescadores allí abajo, limpiando pescado. Tomeu habló con ellos.

—Era Rafael, el primo de Tomeu. Guarda su bote

en el muelle junto al mío.

—¿Todos en el pueblo están emparentados?

—Más o menos. Juanita te trajo un regalo.

Se volvió para mirarlo. Los mechones de cabello suelto le colgaban.

—¿De veras? ¿Qué es?

—Ve a ver.

—Ya le dije buen día pero no me comentó nada sobre un regalo.

—No lo hizo porque no habla inglés. Entra, está ansiosa por dártelo.

Selina desapareció en el interior de la casa. Se oyó un extraño intento de conversación y, minutos después, la joven reapareció con el cesto ahora destapado.

—*Oranges* MD.

—Las naranjas —tradujo George.

—¿Así se llaman? Creo que dijo que me las envió María.

—Las cultiva el esposo de María.

—Qué gesto amable, ¿no?

—Tendrás que ir al pueblo a agradecerle.

—No puedo hacer nada a menos que aprenda a hablar español. ¿Cuánto tardaste en aprender?

George se encogió de hombros.

—Cuatro meses. Viviendo aquí. No hablaba una palabra antes de eso.

—Pero sí francés.

—Oh, sí, francés. Y un poquito de italiano. El italiano es de gran ayuda.

—Debo tratar de aprender aunque sea algunas palabras.

—Te prestaré un libro de gramática que tengo. Después deberás estudiar algunos verbos.

—Sé que Buenos días significa *good morning*...

—Y Buenas tardes significa *good afternoon* y Buenas noches significa *good night*.

—Y sí. Eso lo sé. Sí es *yes*.

—Y No es *no*, una de las palabras más importantes que una jovencita debe aprender.

—Hasta yo, con mi cerebro infantil, puedo recordar eso.

—Oh, no estaría tan seguro.

Juanita apareció con la bandeja del desayuno y comenzó a disponer las tazas, platos y demás enseres en la mesa. George le habló; le explicó que la señorita estaba muy contenta con el regalo de María y que más tarde subiría al pueblo para agradecérselo personalmente. Juanita sonrió con más intensidad que nunca, meneó la cabeza y llevó la bandeja de vuelta a la cocina. Selina recogió una ensaimada y preguntó:

—¿Qué es?

George se lo explicó.

—Las hace cada mañana el panadero de San Esteban. Juanita me las compra y las trae, frescas, para mi desayuno.

—Ensaimadas. —Mordió la punta de una. Era una masa suave, hojaldrada y con azúcar. —¿Juanita trabaja para alguien más o sólo para ti?

—Trabaja para su esposo y sus hijos. En el campo y en la casa. Nunca ha hecho otra cosa más que trabajar, toda su vida. Trabajar, casarse, ir a la iglesia y tener bebés.

—Parece tan contenta, ¿no crees? Siempre sonriendo.

—Tiene las piernas más cortas del mundo. ¿Lo notaste?

160

—Pero tener piernas cortas no tiene nada que ver con estar contenta.

—No, pero la convierte en una de las pocas mujeres en el mundo que puede fregar un piso sin arrodillarse.

Cuando acabaron de desayunar y antes que hiciera más calor, fueron caminando al pueblo para hacer las compras. Selina tenía los pantalones azules encogidos de George y las alpargatas que había comprado el día anterior en la tienda de María. George llevaba los cestos y mientras caminaban, le enseñó a decir: "Muchas gracias por las naranjas."

Entraron en la tienda de María, cruzaron la sección del frente donde se apilaban los sombreros de paja, el aceite bronceador, las máquinas fotográficas y las toallas de baño, y luego ingresaron en la habitación trasera alta y oscura. En ese recinto fresco había barriles de vino, cajones de verduras, frutas de aroma dulce y hogazas de pan largas como un brazo. María, su esposo Pepe y Tomeu estaban ocupados atendiendo y había un pequeño grupo de clientes esperando. Cuando George y Selina entraron, todos enmudecieron y miraron alrededor. George dio un codazo a Selina y ella expresó:

—María, muchas gracias por las naranjas.

Hubo muchas risas que revelaron dientes faltantes y palmadas en la espalda, como si hubiera hecho algo muy ingenioso.

Los cestos fueron llenados con víveres, botellas de vino, pan y fruta y quedaron en la tienda para que Tomeu los llevara a Casa Barco en su bicicleta. George aceptó el vaso de coñac que le ofreció Pepe y luego él y Selina se dirigieron al hotel Cala Fuerte a ver a Rudolfo. Se sentaron en el bar y Rudolfo les sirvió café y se enteró de que habían enviado un telegrama a Inglaterra requiriendo el dinero y que muy pronto, en unos días, recuperaría lo que le debían. Pero Rudolfo rió y declaró que no le importaba cuánto tiempo tuviera que esperar. George bebió otro coñac, luego se despidieron y emprendieron el camino de regreso a Casa Barco.

Una vez allí, George desenterró la gramática española que lo había ayudado a través de las dificultades de aprender un nuevo idioma y se la dio a Selina.

—Empezaré ahora mismo —manifestó ella.

—Bueno, antes que lo hagas, iré al *Eclipse*. ¿Quieres venir?

—¿Vas a salir a navegar?

—¿Salir a navegar? Esto no es Frinton, sabes. —Adoptó un cómico acento vulgar londinense. —Por una corona te daré una vuelta a la isla.

—Sólo pensé que tal vez saldrías en él —explicó Selina con suavidad.

—Bueno, no lo haré. —Se aplacó. —Pero alguna vez tengo que llevar la hélice nueva y hoy es un buen día. Podrás nadar si quieres, pero te advierto que el agua estará helada.

—¿Puedo llevar conmigo el libro de gramática?

—Todo lo que quieras. ¿Y qué te parece un picnic?

—¡Un picnic!

—Juanita pondrá comida en un cesto, estoy seguro. No será exactamente un cesto de Fortnum and Mason...

—Oh, pídeselo. Así no tendremos que volver para almorzar.

Media hora después, subieron al bote de remos.

Selina se sentó en la popa con la caja que contenía la hélice entre las rodillas. Llevaba el libro de gramática, un diccionario y una toalla en caso de que quisiera bañarse. El cesto del picnic estaba en el fondo del bote, a los pies de George, que remaba. Cuando empezaron a alejarse de la grada, Juanita se inclinó sobre la pared de la terraza y agitó un plumero, como despidiéndose para siempre. Perla caminaba de un lado a otro a lo largo de la orilla y maullaba con tono lastimero porque ella también hubiera querido ir.

—¿Por qué no podemos llevarla? —inquirió Selina.

—Lo odiaría no bien llegáramos. Demasiada agua le provoca traumas.

Selina arrastraba una mano por el agua y contemplaba las profundidades de algas verdes ondulantes.

—Parecen pasto. O un bosque en el viento.

El agua estaba muy fría. Retiró la mano y se volvió para contemplar Casa Barco, fascinada por esa nueva perspectiva.

—Tiene una forma bastante distinta del resto de las casas.

—Era una casa-barco.

—¿Era una casa-barco cuando viniste a vivir aquí? George descansó sobre los remos.

—Para ser secretaria del Club de Admiradoras de George Dyer parece que has leído mi libro con poquísima atención. ¿O no lo leíste?

—Sí, lo leí, pero sólo buscaba cosas sobre *ti*, porque pensaba que podías ser mi padre. Y, por supuesto, no había casi nada sobre ti. Era todo sobre el pueblo, el puerto, el *Eclipse* y demás cosas.

George siguió remando.

—La primera vez que vi Cala Fuerte fue desde el mar. Venía de Marsella, solo, porque no había podido conseguir tripulación y me costó muchísimo encontrar el lugar. Disminuí la potencia del *Eclipse* y anclé, muy cerca de donde está ahora.

—¿Pensabas entonces que te quedarías a vivir acá y convertirías este sitio en tu hogar?

—No sé qué pensaba. Estaba demasiado cansado para pensar. Pero recuerdo el maravilloso olor de los pinos en la mañana temprana.

Se acercaron al casco del *Eclipse*. George se puso de pie, se tomó de la baranda y, sosteniendo la amarra, trepó a la cubierta de popa. Aseguró el bote de remos y luego regresó para ayudar a Selina a descargar. Ella le alcanzó la toalla, el libro y el cesto del picnic y luego subió mientras él volvía al bote para tomar la pesada caja con la hélice.

La lona encerada todavía protegía la parte baja de popa tal como George la había dejado, aunque ahora ya seca. Selina bajó y apoyó el cesto del picnic en uno de los asientos. Miró alrededor con la admiración confusa de alguien que jamás en su vida ha estado en un barco pequeño.

—Parece tan chico... —comentó.

—¿Qué esperabas? ¿El *Queen Mary*?

George dejó caer la hélice al piso. Se acuclilló y la empujó debajo de uno de los asientos de listones para quitarla de en medio y evitar cualquier daño.

—No, por supuesto que no.

—Ven —dijo y se puso de pie—. Te mostraré el resto del barco.

Los escalones de la escotilla principal conducían a la cocina, una parte de la cual había sido equipada como mesa de navegación, con cajones abajo lo bastante anchos para los mapas. Más allá se encontraba el camarote, con dos literas a ambos lados de una mesa plegable. Selina preguntó si allí dormía George y cuando él respondió que sí, ella señaló que él medía algo más de un metro ochenta y las literas no podían tener más de un metro cuarenta de largo. George, con aires de mago, le mostró cómo se extendían los extremos de las camas debajo de los tableros laterales.

—Ah, entiendo. O sea que duermes con los pies en un agujero.

—Esa es la idea. Y es bien cómodo.

Había muchos libros, sostenidos en su lugar en los estantes por barras de retención. Los almohadones de las literas eran azules y rojos y una lámpara de querosén colgaba de balancines. Había fotografías del *Eclipse* navegando, completo con las rayas infladas de un balón poderoso y un compartimiento abierto lleno de impermeables amarillos. George avanzó, dando la vuelta a la columna del mástil pintada de blanco y Selina lo siguió. En la diminuta bodega de proa había un cuarto de baño y los compartimientos de cadenas y velas.

—Parece tan pequeño —insistió ella—. No imagino cómo se puede vivir en un lugar tan estrecho.

—Te acostumbras. Y cuando estás solo, vives en la parte baja de popa. Por eso la cocina está tan a mano, de modo que puedes estirarte y tomar comida cuando estás navegando. Ven, volvamos atrás.

Selina tomó la delantera y George se detuvo para desenganchar las lumbreras y abrirlas. En la cocina, Selina se alargó a través de la escotilla para tomar el cesto del picnic y lo entró, lejos del sol. Había una botella de vino de cuello delgado ya lamenta-

165

blemente tibia, pero cuando se lo comentó a George, él buscó un trozo de cuerda, lo ató alrededor del cuello de la botella y la colgó en la borda. Luego bajó de nuevo y se dirigió al camarote, de donde regresó con uno de los colchones de espuma de goma de las literas.

—¿Para qué es eso?

—Pensé que te gustaría tomar sol. —Lo subió y lo depositó en la cubierta de popa.

—¿Qué vas a hacer? ¿Vas a colocar la hélice?

—No. Esperaré hasta que el mar se caliente un poco o buscaré a alguien que lo haga por mí. —Volvió a desaparecer abajo y Selina tomó la gramática española, trepó a la cubierta de popa y se tendió en el colchón. Abrió el libro y leyó: "Los sustantivos son masculinos o femeninos. Deben aprenderse con el artículo definido."

Hacía mucho calor. Bajó la cabeza sobre el libro abierto y cerró los ojos. Sentía el chapaleo suave del agua, el aroma de los pinos y la tibieza reconfortante del sol. Extendió los brazos, las manos y los dedos hacia ese calor y el resto del mundo se esfumó. La realidad era aquí y ahora, un yate blanco anclado en una ensenada azul, con George Dyer moviéndose abajo, en el camarote, abriendo y cerrando compartimientos y maldiciendo de tanto en tanto cuando se le caía algo.

Más tarde, abrió los ojos y susurró:

—George.

—¿Humm...? —Estaba sentado, desnudo hasta la cintura. Fumaba un cigarrillo y enrollaba una soga de modo impecable.

—Ya aprendí lo de masculino y femenino.

—Bien, es un buen comienzo.

—Estaba pensando en nadar.

—Nada, entonces.

Selina se sentó y se apartó el pelo de la cara.

—¿Estará muy fría?

—Después de Frinton, nada puede ser frío.

—¿Cómo sabías que yo solía ir a Frinton?

—Tengo un instinto primitivo en lo que se refiere a ti. Te imagino pasando los veranos allí con la niñera. Azul de frío y temblando.

—Tienes razón, por supuesto. Y hay guijarros en la playa y yo siempre usaba un suéter enorme arriba del traje de baño. Agnes también lo odiaba. Dios sabe por qué nos mandaban allí.

Se puso de pie y empezó a desabrocharse la camisa.

—Es muy hondo —le advirtió George—. ¿Sabes nadar?

—Claro que sé nadar.

—Tendré el arpón a mano en caso de que aparezcan tiburones blancos.

—¡Qué gracioso! —Se quitó la camisa. Tenía puesto el bikini que él le había regalado.

—¡Santo Dios! —exclamó George porque sólo se había propuesto hacer una broma y nunca imaginó que ella tendría el descaro de ponérselo. Ahora sentía que la broma se había vuelto en su contra y lo había hecho quedar como un tonto. La palabra inocencia brotó otra vez y lo golpeó. Y pensó, injustamente, en Frances, en su cuerpo deteriorado por la intemperie y casi negro de tanto bronceado, y en los bikinis provocativos que en ella no podían ser otra cosa que vulgares.

No estuvo seguro de si Selina oyó su asombrada exclamación, puesto que en ese momento se zambulló. La observó nadar. Lo hacía con prolijidad y sin salpicar. El largo cabello se desplegaba en el agua detrás de ella como una especie nueva y hermosa de alga marina.

Cuando por fin volvió, temblando de frío, George le dio una toalla y bajó a la cocina a buscarle algo para comer; una rebanada de pan con un trozo del queso de cabra de Juanita. Al regresar, la encontró de nuevo en la cubierta de popa, al sol, frotándose el cabello con la toalla. Le hizo acordar a Perla. Le entregó el pan.

—En Frinton siempre me daban galletitas con sabor a jengibre —recordó Selina—. Agnes solía llamarlas bocados contra el frío.

—Muy de ella.

—No hables así. Ni siquiera la conoces.

—Lo siento.

—Probablemente te gustaría. Encontrarían que tienen muchas cosas en común. Agnes suele parecer contrariada, pero no significa nada. Ladra mucho pero no muerde.

—Muchas gracias.

—Lo dije como un cumplido. Siento mucho afecto por Agnes.

—Tal vez si aprendo a tejer, llegarás a sentir afecto por mí también.

—¿Hay más pan? Todavía tengo hambre.

George bajó otra vez y, cuando volvió, ella estaba boca abajo de nuevo, con el libro de gramática abierto. Decía:

—"Yo... Tú... (familiar), Usted... (cortés)".

"Usted... —Selina tomó el pan y empezó a comerlo con aire distraído. —Sabes, es curioso, tú conoces bastante sobre mí... Tuve que contarte, por supuesto, porque pensaba que eras mi padre... pero lo cierto es que yo no sé absolutamente nada sobre ti.

George no contestó y ella se volvió y lo miró. Estaba de pie en la parte baja de popa, la cabeza a la misma altura que la de ella y a unos cincuenta centímetros de distancia. Pero tenía el rostro vuelto hacia un barco pesquero que abandonaba el puerto a través del agua verde azulada y cristalina. Lo único que Selina podía verle era la línea tostada de la frente, la mejilla y la mandíbula. George ni siquiera se volvió cuando ella le habló. Pero al cabo de un momento, repuso:

—No, supongo que no lo sabes.

—Y yo tenía razón, ¿verdad? *Fiesta en Cala Fuerte* no trataba sobre ti. Apenas figurabas en el libro.

El barco pesquero se alejó entre las marcaciones del canal de aguas profundas y George preguntó:

—¿Qué quieres saber con tanta ansiedad?

—Nada. —Ya deseaba no haber sacado el tema. —Nada en particular. —Dobló la punta de una página del libro de gramática y luego la alisó con rapidez porque le habían enseñado que eso era una mala costumbre. —Supongo que es nada más que curiosidad. Rodney, mi abogado... tú sabes, te lo mencioné... él fue quien me regaló tu libro. Y cuando le dije que creía que eras mi padre y que quería venir a buscarte, me respondió que no debía despertar al tigre dormido.

—Una frase muy imaginativa para provenir de Rodney. —El barco pesquero pasó junto a ellos, se adentró en aguas profundas, aceleró sus motores y enfiló hacia alta mar. George se volvió hacia Selina. —¿Yo era el tigre?

—En realidad, no. Rodney no deseaba que yo

provocara un montón de complicaciones, eso era todo.

—No seguiste su consejo.

—No, lo sé.

—¿Qué quieres decir?

—Que soy curiosa por naturaleza, supongo. Lo lamento.

—No tengo nada que ocultar.

—Me gusta saber sobre las personas. Sobre sus familias y sus padres.

—A mi padre lo mataron en mil novecientos cuarenta.

—¿A *tu* padre también lo mataron?

—Su destructor fue torpedeado por un submarino alemán en el Atlántico.

—¿Estaba en la Marina? —George asintió. —¿Cuántos años tenías?

—Doce.

—¿Tenías hermanos y hermanas?

—No.

—¿Qué ocurrió contigo entonces?

—Bueno, déjame ver... Permanecí en la escuela, luego hice el servicio militar y después decidí quedarme en el Ejército.

—¿No querías estar en la Marina como tu padre?

—No. Pensaba que el Ejército podía ser más divertido.

—¿Lo fue?

—En parte. No siempre. Y luego... mi tío George sugirió que, como él no tenía hijos, sería una buena idea que yo entrara en el negocio de la familia.

—¿Qué era?

—Fábricas de tejidos en West Riding, Yorkshire.

—¿Y fuiste?

—Sí. Parecía ser mi obligación.

—Pero no querías.

—No. No quería.

—¿Qué ocurrió?

George adoptó una expresión vaga.

—Bueno, nada. Permanecí cinco años en Bradder-ford. Era lo que había convenido. Después vendí mi parte del negocio y me desligué.

—¿Y a tu tío George le molestó?

—No estaba muy complacido.

—¿Qué hiciste entonces?

—Compré el *Eclipse* con mis ganancias y, después de varios años de vagar, llegué aquí y viví feliz para siempre jamás.

—Y luego escribiste tu libro.

—Sí, claro, escribí mi libro.

—Y eso es lo más importante de todo.

—¿Por qué tan importante?

—Porque es creativo. Proviene de tu interior. Saber escribir es un don. Yo no sé hacer nada.

—Yo tampoco —repuso George—. Por eso el señor Rutland me envió ese mensaje misterioso a través de ti.

—¿No vas a escribir otro libro?

—Créeme, lo haría si pudiera. Lo empecé, pero resultó un fracaso tan penoso que lo rompí en pedacitos y armé una especie de hoguera ritual. Fue desalentador, por no decir algo peor. Y prometí al tipo que haría un segundo esfuerzo, aun cuando no fuera más que una idea, en el lapso de un año, pero, por supuesto, no lo hice. Me han dicho que sufro de bloqueo de escritor, que, por si te interesa, es como la peor clase de constipación mental.

—¿Sobre qué intentaste escribir el segundo libro?

—Sobre un viaje que hice al Egeo antes de venir a vivir aquí.

—¿Y por qué fracasó?

—Era tedioso. El viaje fue estupendo, pero tal como lo escribí, sonaba tan excitante como un paseo en ómnibus por Leeds un domingo lluvioso de noviembre. De cualquier manera, todo ya ha sido hecho antes.

—Pero ése no es el punto. Tienes que encontrar una perspectiva original o un enfoque nuevo. ¿No es así como debe ser?

—Bueno, desde luego. —Le sonrió. —No eres tan inmadura como pareces.

—Dices cosas lindas de un modo horrible.

—Lo sé. Soy retorcido y engañoso. Ahora, ¿cómo vas con los pronombres personales?

Selina volvió a mirar el libro.

—Usted. Él. Ella... ¿Nunca te casaste?

George no respondió enseguida, pero su rostro se tensó como si ella hubiera encendido una luz y se la hubiera acercado a los ojos. Luego, con bastante calma, contestó:

—Nunca me casé. Pero una vez estuve comprometido. —Selina aguardó y, tal vez alentado por ese silencio, él prosiguió: —Fue cuando estaba en Bradderford. Los padres de ella eran de Bradderford, muy ricos, muy gentiles, personas humildes que habían triunfado por esfuerzo propio. Gente excelente, de verdad. El padre manejaba un Bentley y la madre un Jaguar. Jenny tenía un caballo de caza inmenso y una ingeniosa caballeriza automática. Solían ir a esquiar a St. Moritz, a Formentor para las vacaciones de verano, y al Festival de Música de Leeds porque pensaban que eso era

172

lo que se esperaba de ellos.

—No sé si estás siendo amable o cruel.

—Yo tampoco lo sé.

—¿Por qué rompió ella el compromiso?

—No lo hizo. Fui yo. Dos semanas antes de la boda más grande jamás realizada en Bradderford. Durante meses, las damas de honor, los ajuares, los proveedores de la fiesta, los fotógrafos y los regalos de boda no me permitieron acercarme a Jenny. ¡Oh, Dios, los regalos de boda! Una pared alta comenzó a interponerse entre nosotros y a separarnos. Y cuando me di cuenta de que a ella no le molestaba la pared, que ni siquiera sabía de su existencia... bueno, jamás he tenido un gran respeto por mí mismo, pero deseaba conservar el que tenía.

—¿Le dijiste que no te casarías con ella?

—Sí. Fui a su casa. Se lo dije a Jenny y luego a sus padres. La escena tuvo lugar en una habitación llena de cajones de embalaje y cajas, papel de seda, candelabros de plata, ensaladeras, juegos de té y cientos de portatostadas. Fue horroroso. Terrible. —Se estremeció un poco con el recuerdo. —Me sentí como un asesino.

Selina pensó en el departamento nuevo, en las alfombras y el chintz, el ritual del vestido blanco, la ceremonia religiosa y el señor Arthurstone lleván-dola en la iglesia. Experimentó el típico pánico de una pesadilla. El de estar perdida y ser consciente de ello. El de saber que en algún lugar había tomado la curva equivocada y que, más adelante, sólo le aguardaban el desastre, despeñaderos escarpados y toda suerte de temores sin nombre. Quería ponerse de pie de un salto, escapar y huir de todo lo que alguna vez se había comprometido a hacer.

—¿Fue... fue entonces cuando dejaste Bradder-ford?

—No pongas esa cara de horror. No. Todavía me faltaban dos años. Los pasé como *persona non grata* para las madres de todas las jóvenes solteras e ignorado por toda clase de personas inesperadas. En cierta forma fue interesante porque descubrí quiénes eran mis verdaderos amigos... —Se movió hacia adelante para apoyar los codos en el borde de la cubierta de popa. —Pero esto no sirve para mejorar tu impecable lenguaje castellano. Veamos si puedes decir el tiempo presente de "hablar".

Selina empezó.

—Yo hablo. Usted habla. ¿Estabas enamorado de ella?

George alzó la vista con rapidez, pero no había enojo en sus ojos oscuros, sólo dolor. Luego bajó su mano bronceada abierta sobre la página del libro de gramática y murmuró:

—Sin mirar. No vale hacer trampa.

El Citroën entró en Cala Fuerte a la hora más calurosa del día. El sol resplandecía en un cielo despejado y azul, las sombras eran negras y el polvo y las casas, muy blancos. No había ni un alma en los alrededores. Los postigos estaban cerrados. Cuando Frances estacionó frente al hotel Cala Fuerte y apagó el motor del poderoso auto, reinó un gran silencio, interrumpido apenas por el susurro de los pinos que se agitaban en una brisa misteriosa e imperceptible.

Se apeó del coche y dio un portazo. Subió los escalones del hotel y atravesó la cortina de cadenas hacia el bar de Rudolfo. Después de la luz del sol, sus ojos necesitaron un momento para habituarse a la oscuridad. Pero Rudolfo estaba allí, durmiendo la siesta en una de las largas sillas de caña. Despertó cuando ella entró y se puso de pie, soñoliento y sorprendido.

—Hola, amigo —lo saludó Frances.

Rudolfo se frotó los ojos.

—¡Francesca! ¿Qué estás haciendo aquí?

—Acabo de llegar de San Antonio. ¿Me das un trago?

Rudolfo se movió detrás del bar.

—¿Qué quieres?

—¿Tienes cerveza fría? —Se sentó en un taburete y sacó un cigarrillo. Lo prendió con la caja de fósforos que él le empujó sobre el mostrador. Rudolfo abrió la cerveza y la sirvió con cuidado, sin hacer espuma.

—Es una mala hora para andar conduciendo un auto abierto —comentó.

—No me molesta.

—Hace demasiado calor para esta época temprana del año.

—Hoy es el día más caluroso que hemos tenido hasta ahora. San Antonio es como una lata de sardinas. Es un alivio salir al campo.

—¿Por eso estás aquí?

—No del todo. Vine a ver a George.

Rudolfo reaccionó a eso en una forma característica que consistía en encogerse de hombros y bajar las comisuras de la boca. Pareció insinuar algo y Frances lo miró con aire extrañado.

—¿No está aquí?

—Claro que está aquí. —Los ojos de Rudolfo tenían un destello de malicia. —¿Sabías que tiene una visita viviendo en Casa Barco?

—¿Una visita?

—Su hija.

—¡*Hija!* —Al cabo de un segundo de sorprendido silencio, Frances rió. —¿Estás loco?

—No estoy loco. Su hija está aquí.

—Pero... pero George nunca estuvo casado.

—Eso no lo sé —admitió Rudolfo.

—¿Cuántos años tiene, por el amor de Dios?

El hombre se encogió de hombros otra vez.

—¿Diecisiete?

—Pero es imposible...

Rudolfo comenzaba a fastidiarse.

—Francesca, te digo que ella está aquí.

—Vi a George en San Antonio ayer. ¿Por qué no me comentó nada?

—¿Ni siquiera lo insinuó?

—No, no lo hizo.

Pero esto no era estrictamente cierto. La conducta de George en la víspera había sido desusada, y a Frances le resultó sospechosa. La súbita urgencia por enviar un telegrama cuando había estado en la ciudad el día anterior, el paquete de la tienda de Teresa, un negocio muy femenino, y el comentario final acerca de tener que alimentar algo más que la gata cuando regresara a Cala Fuerte. Durante todo el atardecer y gran parte de la noche, Frances había reflexionado sobre esos tres indicios, convencida de que significaban algo que ella debía saber. Y esa mañana, incapaz de seguir permaneciendo en la ignorancia, había decidido ir a Cala Fuerte y averiguar qué estaba ocurriendo. Aunque no hubiera nada que descubrir, vería a George. Y era verdad que las calles y las aceras congestionadas de San

Antonio habían empezado a exasperarla. La idea de las ensenadas vacías y azules y del fresco olor de los pinos de Cala Fuerte era muy tentadora.

Y ahora eso. Era su hija. George tenía una hija. Apagó el cigarrillo y vio que su mano temblaba.

—¿Cómo se llama? —preguntó tan serena y casualmente como pudo.

—¿La señorita? Selina.

—Selina. —Pronunció el nombre como si le dejara un gusto feo en la boca.

—Es encantadora.

Frances terminó su cerveza y bajó el vaso vacío.

—Creo que será mejor que vaya y lo compruebe por mí misma —declaró.

—Hazlo.

Se deslizó del taburete alto, recogió su bolso y se encaminó hacia la puerta. Pero se detuvo en la cortina y se volvió. Rudolfo la contemplaba con un brillo divertido en sus ojos de sapo.

—Rudolfo, si quisiera pasar aquí la noche... ¿tendrías un cuarto para mí?

—Por supuesto, Francesca. Te haré preparar uno.

Condujo en medio de una nube de polvo hacia Casa Barco. Dejó el Citroën en el único lugar sombreado que encontró y cruzó la callejuela hacia la casa. Abrió la puerta con postigos verdes y llamó:

—¿Hay alguien? —No hubo respuesta. De manera que entró.

El lugar estaba vacío. Había un aroma dulce, a cenizas de leña y fruta, y estaba fresco debido al aire de mar que entraba por las ventanas abiertas. Dejó caer su bolso en una silla cercana y se paseó un poco, buscando señales de ocupación femenina. Pero no halló nada. Oyó un leve sonido desde la galería, pero cuando alzó la cabeza, algo sobresaltada, vio que se trataba de la ridícula gata blanca de George. Había saltado de la cama y ahora bajaba la escalera para recibir a la visita. A Frances no le gustaban los gatos, y esa gata en especial. La empujó con el pie, pero eso no menoscabó la dignidad de Perla. La gata se volvió con un gesto elocuente, dejó a Frances y se alejó con la cola erecta hacia la terraza. Después de un momento, Frances la siguió. En el camino, recogió los binoculares de George de la mesa. El *Eclipse* estaba anclado. Frances levantó los binoculares y los enfocó. El yate y sus ocupantes aparecieron frente a sus ojos. George estaba en la parte baja de popa, tendido en uno de los asientos, con la gorra vieja sobre los ojos y un libro en el pecho. La muchacha permanecía en cubierta: miembros dúctiles y una masa de cabello castaño dorado. Llevaba puesta una camisa que parecía ser de George, y Frances no podía verle la cara. La pequeña escena destilaba satisfacción y compañerismo y Frances frunció el entrecejo cuando bajó los binoculares. Volvió a dejarlos sobre la mesa y fue a servirse un vaso del agua dulce y fresca del pozo de George. Regresó con el vaso a la terraza, empujó una de las sillas menos letales bajo la sombra del toldo de cañas partidas, se acomodó en ella con cuidado y se dispuso a esperar.

—¿Estás despierta? —preguntó George.

—Sí.

—Creo que deberíamos ir yendo. Has estado

demasiado tiempo al sol.

Selina se sentó y se desperezó.

—Me quedé dormida.

—Lo sé.

—Fue por todo ese vino delicioso que tomé.

—Sí, supongo que sí.

George remó de regreso a Casa Barco. El bote avanzaba suspendido como una nube sobre el agua verde azulada; su sombra se deslizaba debajo, entre las algas. El mundo estaba quieto, caluroso y callado y ellos dos parecían sus únicos habitantes. A Selina le picaba la piel, la sentía tensa, como una fruta demasiado madura a punto de reventar. Pero no era una sensación molesta sino meramente una parte de ese día espléndido. Empujó el cesto vacío entre sus rodillas y precisó:

—Fue un buen picnic. El mejor que he tenido. —Esperó que George replicara con algún comentario sarcástico sobre Frinton, pero, para su agradable sorpresa, no dijo nada y le sonrió como si él también lo hubiera disfrutado.

Acercó el bote al muelle, desembarcó y lo ató con dos lazadas de la amarra. Selina le pasó todas las cosas y luego bajó a tierra. El muelle quemaba las plantas de sus pies descalzos. Cruzaron las gradas y comenzaron a subir los escalones hacia la terraza. George iba adelante, de modo que Selina, detrás de él, oyó la voz de Frances Dongen antes de verla.

—Bueno, bueno. ¡Miren quién está aquí!

Por una fracción de segundo, George pareció petrificado. Luego, como si no hubiera oído nada, continuó subiendo hasta la terraza.

—Hola, Frances.

Selina, más despacio, lo siguió. Frances estaba

tendida en la vieja silla de caña, con los pies apoyados en la mesa. Tenía una camisa a cuadros azules y blancos anudada para exponer su estómago tostado y pantalones blancos de dril, muy cortos y ceñidos. Se había quitado los zapatos y sus pies, cruzados sobre el borde de la mesa, estaban oscuros y polvorientos, con las uñas pintadas de rojo brillante. No intentó enderezarse ni pararse, sino que permaneció allí, indolente, con las manos tocando el piso. Escrutó a George desde abajo de su cabello rubio tupido y corto.

—¿No es una linda sorpresa? —Miró por sobre el hombro de él y vio a Selina. —¡Hola!

Selina esbozó una sonrisa débil.

—Hola.

George dejó el cesto en el piso.

—¿Qué estás haciendo aquí?

—Bueno, San Antonio está muy calurosa y llena de gente y de ruidos. Pensé en tomarme unos días libres.

—¿Te hospedarás aquí?

—Rudolfo dijo que me daría una habitación.

—¿Has visto a Rudolfo?

—Sí, tomé un trago con él antes de venir para acá. —Lo miró de soslayo, con malicia, provocándolo porque él no sabía cuánto le había contado Rudolfo.

George se sentó en el borde de la mesa.

—¿Rudolfo te comentó que Selina estaba viviendo aquí conmigo?

—Oh, claro que sí. —Sonrió a Selina. —Sabes, eres la mayor sorpresa que jamás he tenido. Todavía no nos has presentado, George.

—Lo siento. Selina, ella es la señora Dongen...

—Frances —se apuró a decir Frances.

—Y ella es Selina Bruce.

Selina se adelantó con la mano tendida para decir "Mucho gusto", pero Frances ignoró el gesto vacilante.

—¿Estás aquí de visita?

—Sí...

—Nunca me dijiste que tenías una hija, George.

—No es mi hija —repuso George.

Frances, pálida, pareció aceptar eso. Quitó los pies de la mesa y se sentó derecha.

—¿Quieres decir...?

—Espera un momento. Selina... —Ella se volvió hacia él y George advirtió que estaba confundida e incómoda, incluso un poco dolorida. —¿Te importaría si hablo con Frances a solas? Será apenas un momento —agregó.

—No. No, por supuesto que no. —Trató de sonreír para demostrar que no le importaba. Se apresuró a dejar las cosas que tenía en las manos, la toalla y la gramática española, como si deseara aligerarse antes de huir deprisa.

—Nada más que cinco minutos...

—Bajaré de nuevo al bote. Allí está fresco.

—Sí, hazlo.

Se marchó con rapidez y desapareció por los escalones. En un momento, Perla, que había estado sentada en la pared de la terraza, se puso de pie, se desperezó, saltó y fue tras ella. George se volvió hacia Frances.

—No es mi hija —repitió.

—¿Quién diablos es entonces?

—Vino de Londres. Apareció aquí de la nada, buscándome porque creía que yo era su padre.

—¿Qué le hizo pensar eso?

—La fotografía en la sobrecubierta de mi libro.

—¿Te *pareces* a su padre?

—Sí, me parezco. De hecho, era un primo lejano mío. Pero eso no viene al caso. Está muerto. Ha estado muerto desde hace años. Lo mataron en la guerra.

—¿Y ella imaginó que había resucitado?

—Supongo que cuando quieres algo con mucha intensidad, eres capaz de creer en cualquier milagro.

—Rudolfo me dijo que ella *era* tu hija.

—Sí, lo sé. El rumor se extendió en el pueblo y, por el bien de ella, creí mejor no desmentirlo. Ya había estado aquí dos días.

—¿Viviendo aquí... contigo? Debes de estar loco.

—Tuvo que quedarse. La compañía aérea perdió su equipaje y le robaron el billete de vuelta en el aeropuerto.

—¿Por qué no me comentaste nada ayer?

—Porque no era asunto tuyo. —Esto sonó más descortés de lo que había deseado. —Oh, Dios, lo siento. Pero así son las cosas.

—¿Qué dirán tus amigos en Cala Fuerte cuando se enteren de que no es tu hija? ¿Cuando descubran que has estado mintiéndoles...?

—Se lo explicaré cuando ella se haya ido.

—¿Y cuándo será eso?

—Cuando recibamos un dinero en efectivo de Londres. Ya le debemos seiscientas pesetas a Rudolfo, tenemos que comprar otro billete de avión y mi dinero está demorado en Barcelona...

—¡Entonces es nada más que una cuestión de dinero! —George la miró con fijeza. —¿Eso es lo único que la ha mantenido aquí? ¿El único motivo por el que no la has enviado de vuelta a su casa?

—Es un motivo tan bueno como cualquiera.

—Pero por el amor de Dios, ¿por qué no recurriste a mí?

George abrió la boca para explicarle por qué y luego la cerró. Frances era incrédula.

—¿Ella quiere quedarse aquí? ¿Tú la *quieres* aquí?

—No, desde luego que no. Ella no ve la hora de regresar y yo de librarme de ella. Pero mientras tanto, la situación es bastante inofensiva.

—¿Inofensiva? Eso es lo más ingenuo que jamás te he oído decir. Vamos, esta situación es tan inofensiva como un barril de dinamita.

George no respondió. Permaneció sentado, con los hombros caídos y las manos cerradas con tanta fuerza sobre el borde de la mesa que los nudillos brillaban blancos. Frances, en una demostración de comprensión gentil, apoyó su mano sobre la de él. Él no intentó alejarse.

—Has confiado en mí, así que déjame ayudarte. Hoy a las siete de la tarde hay un avión de San Antonio a Barcelona. Allí podrá tomar una conexión a Londres y estar en su casa para la medianoche. Le daré dinero suficiente para el billete y para llegar a su casa. —George seguía mudo y ella prosiguió: —Este no es momento para vacilar, querido. Tengo razón y lo sabes. Esa muchacha no puede quedarse aquí ni un minuto más.

Selina estaba sentada en la punta del muelle, de espaldas a la casa y con los pies colgando en el agua. George bajó los escalones desde la terraza, atravesó las gradas y el entablado flojo. Sus pisadas resonaron, pero ella no se volvió. La llamó, pero no contestó. George se acuclilló a su lado.

—Escucha. Quiero hablar contigo.

Selina se inclinó lejos de él, sobre el agua. El cabello se dividió en su nuca y cayó a ambos lados de su cara.

—Selina, trata de entender.

—Todavía no has dicho nada.

—Puedes volver a Londres esta noche. Hay un avión a las siete. Estarás en tu casa a medianoche o a la una de la madrugada a más tardar. Frances te pagará el billete...

—¿Quieres que me vaya?

—No se trata de lo que yo quiera ni de lo que tú quieras. Debemos hacer lo correcto y lo mejor para ti. Supongo que nunca debí permitir que te quedaras aquí, en primer lugar, pero las circunstancias nos arrastraron. Enfrentémoslo; Cala Fuerte no es un lugar para alguien como tú y la pobre Agnes debe de estar nerviosa por lo que pueda estar ocurriendo. De veras pienso que debes irte.

Selina sacó sus piernas largas del agua. Flexionó las rodillas hasta el mentón y las abrazó como si intentara mantenerse entera, impedir su propia desintegración.

—No te estoy echando... Tú tienes que tomar la decisión...

—Tu amiga es muy amable.

—Quiere ayudar.

—Si voy a regresar a Londres esta noche, no tengo mucho tiempo.

—Te llevaré en mi auto a San Antonio.

—¡No! —Lo sobresaltó con su vehemencia y se volvió para mirarlo por primera vez. —No, no quiero que vengas. Cualquier otra persona puede llevarme. Rudolfo, un taxi o lo que sea. Tiene que haber alguien.

George trató de disimular su dolor.

—Bueno, por supuesto, pero...

—No quiero que tú me lleves.

—Está bien. No importa.

—Y cuando llegue a Londres, llamaré a Agnes por teléfono. Estará en casa. Tomaré un taxi y ella me estará esperando.

Era como si ya se hubiera marchado y ambos estuvieran solos. Selina estaba sola en el avión, sola en Londres, con frío, porque después de San Antonio sentiría mucho frío; intentando llamar a Agnes desde un teléfono público. Sería pasada la medianoche, Agnes estaría dormida y se despertaría con lentitud. El teléfono sonaría en el departamento vacío y Agnes se levantaría, se pondría la bata e iría a atender la llamada encendiendo luces a su paso. Luego llenaría una bolsa de agua caliente, abriría una cama y pondría leche a calentar.

Pero George no podía ver más allá.

—¿Qué harás cuando vuelvas a Londres? Quiero decir, ¿cuando todo esto esté terminado y olvidado?

—No lo sé.

—¿No tienes planes?

Después de un momento, Selina meneó la cabeza.

—Haz algunos —le sugirió él con gentileza—. Que sean buenos.

10

Se decidió pedir a Pepe, el esposo de María, que llevara a Selina al aeropuerto. Pepe no tenía un servicio de taxi oficial pero, a veces, despojaba a su viejo auto de la paja, el estiércol de gallina y los restos agrícolas que solía tener incrustados y transportaba viajeros perdidos a donde fuera que quisieran ir. George fue a buscar a Pepe en el auto de Frances para preguntarle si podía hacerlo. Selina, a solas con Frances y Perla en Casa Barco, se preparaba para la partida.

No le llevó mucho tiempo. Se dio una ducha y se vistió con los pantalones de George que Juanita había encogido con tanto afecto, la camisa rayada y las alpargatas compradas en la tienda de María. Su vestido de jersey bueno había sido legado a Juanita como trapo de limpieza, y el bikini era tan pequeño que entraba sin problemas en el fondo del bolso de mano. Eso era todo. Se cepilló el cabello, dejó su abrigo sobre una silla cercana y de mala gana, porque no quería hablar, salió a la terraza, donde Frances se había desplomado una vez más en la silla larga. Tenía los ojos cerrados, pero cuando sintió acercarse a Selina, los abrió y volvió la cabeza para mirarla mientras la joven se sentaba en la pared frente a ella.

—¿Terminaste de empacar? —preguntó.

—Sí.

—Lo hiciste muy rápido.

—No tenía ropa. Perdí mi valija. La enviaron a Madrid por error.

—Esa clase de equivocaciones ocurre a menudo. —Se sentó derecha y tomó el paquete de cigarrillos. —¿Fumas?

—No, gracias.

Frances encendió uno.

—Espero que no creas que estoy interfiriendo ni echándote de este lugar.

—No. De todos modos tenía que volver a casa. Cuanto antes lo haga, mejor.

—¿Vives en Londres?

—Sí. —Se obligó a decirlo. —En Queen's Gate.

—Qué lindo. ¿Disfrutaste de tu visita a San Antonio?

—Ha sido muy interesante.

—Pensabas que George era tu padre.

—Pensaba que podría haberlo sido. Pero estaba equivocada.

—¿Leíste su libro?

—Todavía no correctamente. Pero lo haré cuando llegue a casa. Tendré tiempo entonces. —Agregó: —Ha sido un gran éxito.

—Oh, seguro —repuso Frances, como restando importancia al tema.

—¿No le pareció bueno?

—Sí, era bueno. Era fresco y original. —Dio una larga pitada al cigarrillo y tiró la ceniza en el piso de la terraza. —Pero no escribirá otro.

Selina frunció el entrecejo.

—¿Por qué dice eso?

—Porque pienso que carece de la autodisciplina necesaria para ponerse a escribir un segundo libro.

—Le han dicho que sufre de bloqueo de escritor.

Frances rió.

—Mira, querida, fui yo quien le dijo eso.

—Si no lo considera capaz de escribir un segundo libro, ¿por qué le dijo que estaba sufriendo de bloqueo de escritor?

—Porque estaba deprimido y quería levantarle el ánimo. George no necesita escribir. Tiene dinero propio y escribir simplemente no justifica el esfuerzo.

—Pero *tiene* que escribir otro libro.

—¿Por qué?

—Porque convino en hacerlo. Porque el editor lo está esperando. Por su propio bien.

—Esas son tonterías.

—¿Usted *no quiere* que él siga escribiendo?

—Lo que yo quiera o no quiera no tiene importancia. Sólo estoy dando una opinión. Mira, querida, manejo una galería de arte. Trato todo el tiempo con estos temperamentos, estos artistas, estos estados de ánimo. Y no creo que George sea un artista creativo.

—Pero si no escribe, ¿qué hará?

—Lo que hacía antes de escribir *Fiesta en Cala Fuerte*. Nada. Es fácil no hacer nada en San Antonio, decir "Mañana" a todo. —Sonrió. —No pongas esa cara de espanto. George y yo tenemos el doble de tu edad y, a los cuarenta, algunas de las ilusiones y sueños brillantes empiezan a perder color. La vida no tiene que ser tan real ni tan intensa como a los dieciocho... o a los que sea que tengas...

—Tengo veinte —aclaró Selina. Su voz era de pronto fría y Frances se alegró porque pensó que la había fastidiado. Se reclinó y la observó. Ya no tenía miedo, como cuando la había visto por primera vez, porque Selina se marchaba. En media hora estaría en camino: al aeropuerto, a Londres, de regreso a una vida en Queen's Gate sobre la cual Frances se complacía en permanecer en total ignorancia.

El sonido del Citroën que volvía alteró el embarazoso silencio, seguido del crujido menos sofisticado del viejo auto de Pepe. Selina se puso de pie.

—Ya llegó el taxi.

—¡Magnífico! —Frances apagó el cigarrillo en el piso. —Ven, te daré el dinero.

A Selina le costaba muchísimo aceptarlo, pero Frances lo estaba contando en su palma cuando George entró en la casa y se les unió. Todo el asunto parecía incomodarlo tanto como a Selina, pero se limitó a señalar que ella necesitaría libras esterlinas en Londres. De inmediato, Frances firmó uno de sus cheques de American Express y se lo entregó junto con el dinero.

—Podrás canjearlo por efectivo en el aeropuerto.

—Es usted muy amable.

—Es un placer. No tiene importancia.

—Yo... me ocuparé de devolverle todo...

—Claro, por supuesto que sí.

—¿Dónde está tu bolso? —preguntó George.

—Adentro.

George fue a buscarlo y luego tomó el dinero de la mano de Selina y lo guardó en un bolsillo interno seguro y bien oculto.

—No vuelvas a perderlo —le advirtió—. No soportaría la tensión. —Había pretendido ser una broma débil, pero se arrepintió enseguida porque sonó como si él no pudiera tolerar la idea de tener que hacerse cargo de ella otra vez. Para disimularlo, se apuró a agregar: —¿Tienes tu pasaporte? —Ella asintió. —¿Estás segura?

—Sí, desde luego.

—Quizá sea mejor que vayas saliendo. No tienes demasiado tiempo...

La estaban empujando, gentil pero firmemente, para que se marchara. Jamás regresaría. Con lentitud, siguió a George al interior de la casa. Él recogió el abrigo marrón y se hizo a un lado para que ella lo precediera. Detrás, Frances Dongen estaba de pie en el vano de la puerta abierta de la terraza.

—Pepe espera... —musitó George con gentileza.

Selina tragó saliva.

—De pronto tengo mucha sed —declaró—. ¿Tengo tiempo de beber...?

—Pero por supuesto. —Se movió hacia el pozo pero ella lo detuvo.

—No. Prefiero soda. Es más refrescante y fría. No te molestes; yo la buscaré. Hay una botella en la heladera. No tardaré.

Esperaron mientras ella se deslizaba detrás del mostrador y se agachaba para abrir la heladera y tomar una botella helada. Por un momento, permaneció invisible. Luego se enderezó con la botella en la mano. La abrió, sirvió un vaso y bebió tan deprisa que George le dijo que estallaría.

—No estallaré. —Bajó el vaso vacío y esbozó una sonrisa repentina. Era como si la soda hubiera resuelto todos sus problemas. —Estaba deliciosa.

Salieron al sol y Pepe los aguardaba. El hombre tomó el abrigo marrón y lo depositó con cuidado sobre el asiento trasero limpiado con rapidez. Selina se despidió de Frances, le agradeció toda la ayuda y luego se volvió hacia George. No tendió la mano y él no pudo besarla. Se dijeron adiós sin tocarse, pero George sintió que se desgarraba por dentro.

Selina entró en el auto viejo, erguida, conmovida y terriblemente vulnerable. Pepe se acomodó a su lado y George le impartió media docena de instrucciones de último minuto, amenazándolo de muerte en caso de que algo saliera mal. Pepe comprendió y asintió, incluso rió con su boca sin dientes mientras ponía en movimiento el viejo cacharro.

El vehículo se alejó colina arriba y más allá. George lo siguió con los ojos mucho después de que hubo desaparecido de su vista, porque todavía podía oír el ruido del motor.

Esa noche hubo una gran fiesta en el hotel Cala Fuerte. No estaba planeada, pero evolucionó, como lo hacen las mejores fiestas, creciendo y expandiéndose para incluir a una docena de nacionalidades distintas y una cantidad aterradora de bebida. Todos se pusieron muy alegres. Una muchacha gorda decidió que bailaría sobre la mesa, pero cayó en brazos de su novio y quedó allí, dormida, durante el resto de la velada. Uno de los boteros del puerto trajo una guitarra y una mujer francesa hizo una mímica de un baile flamenco que a George le pareció lo más gracioso que había visto en su vida. Sin embargo, a eso de la una de la madrugada, de repente anunció que se iba a su casa, de regreso a

Casa Barco. Hubo un gran coro de protestas, acusaciones de aguafiestas y reclamos de que era su turno de pagar los tragos; pero George permaneció inflexible. Sabía que debía marcharse antes de que parara de reírse y empezara a llorar. No existía nada peor que un borracho lloroso.

Se puso de pie y alejó la silla de la mesa con un ruido que le partió la cabeza. Frances ofreció:

—Te acompañaré.

—Estás alojada aquí, no lo olvides.

—Te llevaré a tu casa en mi auto. ¿Para qué caminar cuando hay un buen auto en la puerta?

George se rindió, porque era más simple y menos arduo que tener que enfrentarse a una escena. Afuera, la cálida noche sureña brillaba con el resplandor de las estrellas. El Citroën estaba estacionado en medio de la plaza y, mientras caminaban hacia él, Frances le deslizó las llaves en la mano.

—Maneja tú.

Ella se encontraba en perfectas condiciones de hacerlo, pero de tanto en tanto, le gustaba fingir que era indefensa y femenina, de manera que él tomó las llaves y se sentó detrás del volante.

Se le ocurrió que mientras su pequeño y ridículo auto de ruedas amarillas constituía un mero medio para trasladarse por la isla, el veloz y poderoso Citroën de Frances era en cierta forma una extensión erótica de su personalidad. Ahora estaba sentada con el rostro vuelto hacia las estrellas; su cuello tostado se prolongaba en el profundo escote de la blusa de botonadura baja. George sabía que estaba esperando que la besara, pero encendió un cigarrillo antes de poner en marcha el motor.

—¿Por qué no me besas? —inquirió ella.

—No debo besarte —respondió él—. Ignoro dónde has estado.

—¿Por qué tienes que convertir todo en una broma?

—Es mi mecanismo de defensa inglés.

Frances consultó su reloj de pulsera a la luz de las estrellas.

—Es la una. ¿Crees que ya estará en Londres?

—Debería.

—Queen's Gate. No es nuestro estilo, querido.

George empezó a silbar por lo bajo una melodía que había estado presente en su cabeza durante toda la noche.

—¿No estarás preocupado por ella, verdad?

—No, no lo estoy. Pero debí haberla llevado al aeropuerto en vez de dejarla ir con Pepe en esa máquina de coser con ruedas que él llama auto.

—No quería que tú la llevaras. Habría protestado a los gritos todo el viaje y ambos habrían estado incómodos. —Él no contestó y ella rió. —Eres como un oso terco que no se deja seducir.

—Estoy demasiado borracho.

—Vamos a casa.

George condujo de regreso sin dejar de silbar la maldita melodía. Cuando llegaron a Casa Barco y George apagó el motor y se apeó, Frances se bajó también. Como si hubiera estado planeado, entró con él. La casa estaba fresca y oscura, pero George encendió las luces y fue automáticamente a servirse un trago, porque sin un trago moriría o se dormiría y rompería a llorar y ni loco haría nada de eso delante de Frances.

Ella se desplomó en el sofá como si estuviera en su casa. Apoyó los pies sobre un brazo y el cabello enrulado contra un almohadón azul cielo. George sirvió un par de tragos con torpeza, dejó caer el abridor y volcó el hielo.

—Esa tonada es espantosa. ¿No sabes otra?

—Ni siquiera sé qué es.

—Bueno, deja de silbarla.

George sentía un martilleo en la cabeza, parecía haber charcos de agua y hielo derretido por todas partes y no podía encontrar nada con qué limpiarlos. Levantó los tragos y los llevó adonde estaba Frances. Ella tomó su vaso sin quitarle los ojos de encima. George se sentó de espaldas a la chimenea vacía y con el trago entre las manos.

—¿Sabes una cosa, querido? Estás furioso conmigo —manifestó Frances con calma.

—¿De veras?

—Claro que sí.

—¿Por qué?

—Porque quité de en medio a tu noviecita. Y porque en el fondo de tu corazón, sabes que tú debiste hacerlo. Y mucho antes.

—No podía comprar un billete de avión sin dinero.

—Eso, si no te molesta que lo diga, es la excusa más débil que un hombre se ha dado a sí mismo.

George bajó la vista al vaso.

—Sí —confesó al fin—. Tal vez lo sea.

La melodía proseguía sin cesar en lo más recóndito de su mente. Al cabo de un rato, Frances acotó:

—Cuando fuiste a buscar a Pepe y la niña se estaba preparando para marcharse, di un paseíto por tu escritorio. No pareces estar exactamente productivo.

—No. No he escrito ni una palabra.

—¿Contestaste al querido señor Rutland?

—No, tampoco he hecho eso. Pero —agregó con un toque de malicia—, consulté a un especialista que me dijo que sufro de bloqueo de escritor.

—Bueno —repuso Frances con cierta satisfacción—, al menos eso es un destello de tu yo terco. Y si vas a ser sincero, yo también lo seré. Verás, querido, creo que jamás escribirás ese segundo libro.

—¿Qué te hace estar tan segura?

—Tú. Tu forma de ser. Escribir es una tarea difícil y tú eres uno de esos clásicos expatriados ingleses inútiles que saben no hacer nada con más gracia que ninguna otra raza. —George recibió eso con un brillo espontáneo de diversión. Frances se sentó derecha, alentada, porque no había perdido la capacidad de hacerlo reír. —George, si no quieres ir a Malagar, si no te divierten las corridas de toros, entonces yo tampoco quiero ir. ¿Pero por qué no ir juntos a otro sitio? Podríamos llevar el *Eclipse* a Cerdeña, ir por tierra a Australia o... andar en camello a través del desierto de Gobi...

—Los bolsos deben ir en la joroba delantera.

—Estás tomándolo a broma de nuevo. Hablo en serio. Somos libres y tenemos todo el tiempo del mundo. ¿Por qué flagelarte frente a una máquina de escribir? ¿Queda algo en el mundo sobre lo cual puedas escribir bien?

—No lo sé, Frances.

Ella se echó hacia atrás en el almohadón. Había terminado el trago y dejado el vaso vacío en el piso a su lado. Estaba reclinada, seductora, provocativa, aterradoramente familiar.

—Te amo —declaró—. Lo sabes.

No había motivo para no hacerle el amor. George dejó el vaso y se sentó junto a ella. La estrechó en sus brazos y la besó como si quisiera perderse a sí mismo. Frances emitió breves sonidos agradables y lo despeinó. George apartó su boca y frotó la mejilla por el ángulo definido del mentón; podía sentir su barba áspera raspando la piel. Frances le hundió el rostro en el hombro y sus brazos fuertes eran como una prensa alrededor de su cuello.

—¿Me amas? —preguntó. Pero él no pudo contestar, de modo que ella dijo en cambio: —¿Te gusto? ¿Me deseas?

George se quitó los brazos del cuello y se apartó. Se quedó sentado, sosteniéndole los antebrazos como si hubieran estado luchando.

Frances se echó a reír. La flexibilidad y el buen humor eran dos de sus virtudes que a él siempre le habían gustado.

—¡Eh!, creo que el alcohol te dejó aturdido —exclamó.

George se puso de pie y fue a buscar cigarrillos. Detrás de él, Frances se levantó del sillón y se pasó los dedos por el pelo.

—Debo arreglarme un poco antes de volver al hotel. Rudolfo es muy anticuado, sabes, en lo que respecta a muchas cosas. ¿Te importa si uso tu habitación?

—Adelante —contestó y encendió la luz de la planta superior.

Frances corrió escaleras arriba. Los tacos de sus sandalias resonaron en los peldaños de madera. Cantaba la canción que había estado atormentando a George toda la noche, y aún carecía de palabras. Pero entonces, como si alguien hubiera apagado una radio, la melodía se detuvo y Frances enmudeció. El silencio atrajo la atención de George como si ella hubiera chillado de repente. Se quedó quieto y agudizó los oídos como un perro receloso.

Unos minutos después, Frances bajó la escalera con una expresión imposible de descifrar.

—¿Qué pasa? ¿No hay peine? —preguntó él tontamente.

—No lo sé —respondió ella—. No me fijé. No miré más que la cama...

—¿La cama? —Su desconcierto era total.

—No es una broma, ¿verdad? ¿Otro ejemplo de tu incomparable sentido del humor inglés?

George se dio cuenta con horror de que estaba furiosa. Debajo del cuidado control de su voz se traslucía el temblor de una explosión incipiente.

—No sé de qué estás hablando, Frances.

—La chica. Tu hija. Selina. Como quieras llamarla. ¿Sabes dónde está? No en Londres. Ni siquiera en el aeropuerto de San Antonio. Está allá arriba... —Apuntó un dedo tembloroso y su control, como una banda de goma estirada en exceso, se quebró de pronto. —¡En tu cama!

—No puedo creerlo.

—Bueno, ve y fíjate. *Ve y fíjate.* —George no se movió. —No sé qué está ocurriendo aquí, George, pero no entregué una suma considerable de pesetas para encontrar a esa mujerzuela de vuelta en tu cama...

—No es una mujerzuela.

— ...y si vas a tratar de darme alguna explicación, más vale que sea buena, porque no me tragaré una segunda sarta de estupideces acerca de equipajes desviados y fantasías sobre un papito perdido hace tiempo...

—Era cierto.

—¿Cierto? Mira, mal nacido, ¿a quién crees que estás engañando? —Le estaba gritando, y era lo único capaz de volver loco a George.

—No sabía que volvería...

—Bueno, échala de una patada entonces...

—No haré nada semejante...

—Muy bien. —Frances se inclinó para tomar su cartera. —Si deseas vivir con esa mujerzuela hipócrita, me parece bien...

—¡Cállate!

— ... pero no me involucres en una intriga complicada para proteger la reputación de ambos porque en lo que a mí concierne, no merece ser protegida. —Enfiló hacia la puerta, la abrió de par en par y se volvió para soltar una andanada final de insultos. Pero la entrada de Perla, erguida y altiva, arruinó un poco el efecto. Había estado al otro lado de la puerta esperando que alguien la dejara pasar, y cuando Frances lo hizo, ingresó con un débil maullido de apreciación y agradecimiento.

—Será mejor que te vayas —le aconsejó George con tanta serenidad como le fue posible.

—No te preocupes —replicó ella—. ¡Me voy! —Hizo una pausa para propinar un cruel puntapié a Perla al pasar y atravesó la puerta. La cerró con tanta violencia que la casa tembló.

En un momento, la noche quieta fue turbada por el sonido del Citroën arrancado con brutalidad y conducido colina arriba en primera y a una velocidad que puso los nervios de punta a George.

Se agachó para recoger a Perla. Estaba herida en

sus sentimientos, pero nada más, y la sentó con suavidad en su almohadón favorito del sillón. Un ligero movimiento arriba le hizo levantar la vista. Selina estaba de pie con las manos en la baranda de la galería, observándolo. Tenía puesto un camisón blanco con cintas azules que ceñían el escote.

—¿Perla está bien? —preguntó con ansiedad.

—Sí, está bien. ¿Qué estás haciendo aquí?

—Estaba en la cama. Dormida.

—Ahora no estás dormida. Ponte algo encima y baja.

Poco después, descendió de la galería, descalza, pero atándose las cintas de la ridícula bata de seda blanca que hacía juego con el camisón.

George frunció el entrecejo.

—¿De dónde sacaste eso?

Selina cruzó el piso hacia él.

—Mi valija había llegado. De Madrid. —Sonrió, como si él debiera sentirse contento. George se vio forzado a recurrir al sarcasmo.

—¿O sea que llegaste al aeropuerto?

—Oh, sí.

—¿Y qué pasó esta vez? ¿Se canceló el vuelo? ¿No había lugar en el avión? ¿Pepe pinchó una goma?

—No, nada de eso. —Tenía los ojos tan abiertos que las pupilas azules estaban completamente rodeadas de blanco. —Perdí mi pasaporte.

—¿*Qué*? —Para su disgusto, la exclamación brotó como un aullido incrédulo.

—Sí, fue de lo más increíble. ¿Recuerdas que antes de marcharme de aquí me preguntaste si tenía el pasaporte? Bueno, en ese momento estaba en mi bolso y no recuerdo haberlo abierto de nuevo. Pero cuando llegué al aeropuerto y estaba comprando el billete y eso, abrí el bolso. Y ya no estaba.

Lo observó para medir su reacción a esa información. La reacción de George fue reclinarse contra el respaldo del sillón y mantener una calma monumental.

—Entiendo. ¿Qué hiciste entonces?

—Bueno, se lo expliqué al hombre de la Guardia Civil, por supuesto.

—¿Y qué te dijo?

—Ah, fue muy amable y comprensivo. Y después de un ratito, pensé que sería mejor volver aquí y esperar hasta que lo encontraran.

—¿Lo encontraran quiénes?

—Los de la Guardia Civil.

Hubo un breve silencio mientras se miraban. Luego George dijo:

—Selina.

—¿Sí?

—¿Sabes lo que la Guardia Civil hace a las personas que pierden sus pasaportes? Las meten en la cárcel. Las encierran en calidad de prisioneros políticos. Las dejan pudrirse en los calabozos hasta que vuelven a aparecer los pasaportes.

—A mí no me hicieron eso.

—Estás mintiendo, ¿verdad? ¿Dónde metiste tu pasaporte?

—No lo sé. Lo perdí.

—¿Lo dejaste en el auto de Pepe?

—Te digo que lo perdí.

—Escucha, Junior, en España no se juega con los pasaportes.

—No estoy jugando.

—¿Le dijiste a Pepe del pasaporte?

—No sé hablar español, ¿cómo podía decírselo?

—¿Sólo conseguiste que te trajera de vuelta?

Selina pareció desconcertada; sin embargo, contestó con valentía:

—Sí.

—¿Cuándo llegaste aquí?

—A eso de las once.

—¿Te despertamos al entrar? —Ella asintió. —¿Entonces oíste nuestra conversación?

—Bueno, traté de taparme la cabeza con las sábanas, pero la señora Dongen tiene una voz muy poderosa. Lamento no caerle bien. —No hubo comentario con respecto a eso y ella prosiguió con un tono social digno de su abuela. —¿Vas a casarte con ella?

—¿Sabes algo? Me enfermas.

—¿Está casada?

—Ya no.

—¿Qué ocurrió con su esposo?

—No lo sé... ¿cómo voy a saberlo? Tal vez esté muerto.

—¿Ella lo mató?

De pronto, las manos de George parecieron asumir una personalidad independiente. Ansiaban tomar a Selina y sacudirla hasta que le castañetearan los dientes, tirarle de las orejas y borrar con una bofetada la expresión presumida de su rostro. Las metió en los bolsillos y apretó los puños para resistir esos instintos primitivos, pero Selina parecía no ser consciente de su agitación.

—Supongo que fue molesto para ella encontrarme aquí, pero se rehusó a quedarse y oír ninguna explicación. Sólo pateó a la pobre Perla... Hubiera sido mucho más justo que me pateara a mí. —Lo miró a los ojos. George estaba paralizado ante tanta desfachatez. —Debe de conocerte muy bien. Para hablarte así, me refiero. Como lo hizo esta noche. Quería que le hicieras el amor.

—Te estás buscando problemas, Selina.

—Y parece creer que nunca escribirás otro libro.

—Quizá no esté equivocada en eso.

—¿Ni siquiera lo vas a intentar?

—Tú ocúpate de tus malditos asuntos —masculló él con lentitud. Pero eso no la disuadió.

—Creo que temes fracasar antes de siquiera empezar. La señora Dongen tenía razón; eres un clásico, uno de esos expatriados ingleses inútiles (en este punto hizo una sorprendente imitación de la forma de hablar de Frances) que saben no hacer nada con tanta gracia. Supongo que sería una pena arruinar la imagen. Y después de todo, ¿qué importa? No necesitas escribir. No te ganas la vida con eso. Y en cuanto al señor Rutland, ¿qué importa una promesa rota? No vale nada. Puedes faltar a tu palabra con él tal como lo hiciste con la chica con quien ibas a casarte.

Antes que pudiera pensar o controlarse, la mano derecha de George había escapado de la prisión del bolsillo y abofeteado la cara de Selina. El ruido de la bofetada fue tan fuerte como el estallido de una bolsa de papel al estallar. El silencio resultante fue dolorosísimo. Selina lo miraba incrédula, pero curiosamente, sin resentimiento. George se frotaba la palma ardiente contra un costado. Recordó que no había tomado los cigarrillos. Fue a buscarlos, sacó uno y lo prendió. Se horrorizó al ver cómo le temblaban las manos. Cuando por fin se volvió, advirtió con espanto que ella estaba conteniendo las lágrimas. La perspectiva de lágrimas y de las recriminaciones y disculpas consiguientes era más de lo que podía tolerar. Por otra parte, era demasiado tarde para empezar a disculparse.

—¡Oh, vamos, márchate! —exclamó con impaciencia pero sin severidad. Y cuando ella se volvió y huyó de regreso a la cama en una confusión de piernas largas desnudas y seda blanca, le gritó: —Y no golpees la puerta. —Pero la broma era amarga y fracasó por completo, tal como se lo merecía.

11

Era tarde cuando despertó. Lo supo por el ángulo de la luz del sol, las sombras del agua reflejadas en el cielo raso y los sonidos suaves de la escoba que indicaban que Juanita estaba limpiando la terraza. Preparado para el embate de la resaca que sabía que sufriría, George tomó su reloj y vio que eran las diez y media. Hacía años que no dormía hasta tan tarde.

Movió la cabeza de un lado a otro con cuidado, a la espera de la primera punzada de su bien merecida agonía. No sucedió nada. Se arriesgó y trató de poner los ojos en blanco. La sensación no fue dolorosa. Descorrió la manta roja y blanca y se sentó con precaución. Era un milagro. Se sentía bastante normal; mejor que normal: alegre, alerta y lleno de energía.

Juntó su ropa y fue a darse una ducha y a afeitarse. Mientras se afeitaba, la tonada de la noche anterior lo asaltó de nuevo. Pero esta vez tenía palabras y comprendió, demasiado tarde ahora, por qué a Frances le había irritado tanto que la silbara.

Me he acostumbrado a su rostro.
Ella ilumina mis días.

"Bueno", dijo a su reflejo avergonzado, "te estás poniendo muy sentimental". Pero cuando terminó de vestirse, buscó su viejo tocadiscos, desempolvó el disco de Frank Sinatra y lo puso.

Juanita había terminado de fregar la terraza y ahora, al oír la música, dejó los cepillos y entró. Sus pies bronceados y húmedos dejaron marcas en el piso de baldosas.

—Señor —dijo.

—¡Juanita! Buenos días.

—¿Durmió bien el señor?

—Demasiado bien, tal vez.

Me he acostumbrado a la melodía
Que ella silba noches y mediodías.

—¿Dónde está la señorita?

—Fue al barco del señor, a nadar.

—¿Cómo llegó allí?

—En el bote pequeño.

George enarcó las cejas con sorpresa.

—¡Bueno, qué bien! ¿Hay café, Juanita?

—Prepararé un poco.

La mujer fue a extraer un balde de agua y él se dio cuenta de que se sentía lo bastante bien como para desear un cigarrillo. Encontró uno y lo prendió. Luego aventuró con precaución:

—¿Juanita?

—¿Sí, señor?

—Una norteamericana pasó la noche de ayer en el hotel Cala Fuerte...

206

—No, señor.

George frunció el entrecejo.

—¿A qué te refieres?

Juanita estaba en la cocina, calentando el agua.

—No se quedó, señor. Regresó anoche en su auto a San Antonio. No usó el cuarto del hotel. Rosita se lo contó a Tomeu y Tomeu se lo contó a María y...

—Lo sé; María te lo contó a ti. —Pero la noticia de Juanita lo llenó de una especie de alivio vergonzoso, aunque la idea de Frances volviendo de noche a San Antonio en esa bomba letal que era su auto le daba escalofríos. Rezó para que no hubiera sucedido nada, para que no hubiera tenido un accidente y no estuviera, incluso ahora, atrapada en alguna zanja distante con el coche encima de ella.

Con el aire de un hombre acuciado por los problemas, se rascó la nuca y salió a la terraza en busca de su otro dolor de cabeza. Tomó los binoculares y los enfocó en el *Eclipse*, pero aunque el bote de remos se mecía pacíficamente junto a popa, no había señales de Selina.

Era, sin embargo, un día hermoso. Tan claro como la víspera pero más fresco, con un buen mar desde la boca del puerto. Los pinos agitaban sus piñas aromáticas en la brisa y pequeñas olas golpeaban alegremente en las gradas bajo sus pies. El paisaje entero lo colmaba de placer. El cielo azul, el mar azul, el *Eclipse MD,* que se inclinaba sereno en su boya de amarre, la terraza blanca, los geranios rojos. Todo le era querido y familiar y, no obstante, esta mañana, parecía mágicamente nuevo. Perla, sentada en la punta del muelle, consumía un delicioso trozo de pescado que había encontrado. Frances estaba de vuelta en San Antonio y Juanita preparándole una taza de café. No podía recordar cuándo se había sentido tan bien, tan esperanzado o tan optimista. Era como si durante meses hubiera vivido en la penumbra lóbrega de una tormenta potencial y ahora la tormenta hubiera pasado, la opresión hubiera desaparecido y él pudiera respirar otra vez con libertad.

Se dijo que era un sinvergüenza, que debería estar arrastrándose en un foso de remordimiento y odio hacia sí mismo, pero la sensación de bienestar físico superaba su conciencia. Todo ese tiempo había estado inclinado con las manos sobre la pared blanqueada de la terraza. Al enderezarse, notó que sus palmas estaban manchadas de blanco. La reacción automática fue limpiárselas en los pantalones, pero de pronto, su atención se centró en las circunvoluciones de sus propias huellas digitales, perfiladas en el polvo blanco y trazadas con tanta delicadeza como un mapa microscópico. Un mapa de sí mismo, de George Dyer, único, tan único como la vida que había llevado y las cosas que estaba haciendo ahora.

No se sentía especialmente orgulloso de sí mismo. A lo largo de años, había herido y ofendido a demasiadas personas. El clímax de todo eso había ocurrido anoche. Y no soportaba recordarlo. Empero, nada podía arrancarlo de esa exaltante sensación de identidad.

Me he acostumbrado a su rostro.

El disco terminó y George entró para apagar el aparato. Al cerrar la tapa del tocadiscos, llamó:
—Juanita.

Estaba poniendo las cucharadas de café en el jarro.

—¿Señor?

—Juanita, ¿sabías que Pepe, el esposo de María, llevó a la señorita al aeropuerto ayer por la tarde?

—Sí, señor —respondió ella sin mirarlo.

—¿Te contó que trajo de vuelta a la señorita?

—Sí, señor. Todo el pueblo lo sabe.

Era inevitable y George suspiró, pero persistió con el interrogatorio.

—¿Pepe dijo que la señorita había perdido el pasaporte?

—No sabía que lo había perdido. Sólo que no lo tenía.

—¿Pero ella lo informó a la Guardia Civil en el aeropuerto?

—No lo sé, señor. —Vertió agua hirviendo en el jarro de café.

—Juanita... —La mujer no se volvió y George le apoyó una mano en el antebrazo desnudo. Juanita giró la cabeza y él vio con estupor que se estaba riendo; los ojos oscuros brillaban divertidos. —Juanita... la señorita no es mi hija.

—No, señor —contestó con timidez.

—No me digas que ya lo sabías.

—Señor... —Se encogió de hombros. —A Pepe no le pareció que ella se comportaba como su hija.

—¿Cómo se comportaba?

—Estaba muy triste, señor.

—Juanita, ella no es mi hija sino mi sobrina. Una sobrina lejana.

—Sí, señor.

—¿Se lo dirás a María? Y dile a María que se lo diga a Tomeu, y quizá Tomeu se lo diga a Rosita y

Rosita a Rudolfo... —Ambos reían. —No dije una mentira, Juanita. Pero tampoco la verdad.

—El señor no tiene que preocuparse. Si ella es su hija o una sobrina... —Se encogió de hombros de nuevo como si la cuestión fuera demasiado trivial para ser considerada. —Pero para Cala Fuerte, el señor es un amigo. Lo demás no importa.

Tal elocuencia era desusada en Juanita y George estaba tan conmovido que la habría besado, pero sabía que eso los incomodaría mucho a ambos. Así que, en cambio, declaró que tenía hambre y con ánimo afable se le unió en la cocina para hurgar dentro del tarro del pan y buscar algo que pudiera untar con manteca y mermelada de damasco.

Como siempre, el tarro estaba lleno, con las hogazas más frescas encima de las viejas.

—Esto es muy sucio, Juanita —le reprochó—. El pan en el fondo tiene manchas azules. —Y, para probarlo, dio vuelta el tarro y lo vació en el piso. La última corteza mohosa cayó, luego el papel blanco con el que Juanita había forrado el fondo y finalmente, una libreta azul oscura y delgada.

Estaba en el piso entre ambos y se miraron como cuestionándose mutuamente. Cada uno imaginaba que el otro era responsable.

—¿Qué es eso?

George la tomó y la volvió en sus manos.

—Es un pasaporte. Un pasaporte inglés.

—¿Pero de quién?

—Creo que de la señorita.

La idea era empezar no por el comienzo del viaje sino por la mitad... la semana en que el

210

Eclipse había entrado en el puerto de Delos. Y luego retrocedería al comienzo para mostrar, en una serie de destellos retrospectivos, cómo había tomado forma el viaje, cómo había sido planeado desde el principio. El papel era grueso y liso y la máquina de escribir se deslizaba con la suavidad de un motor bien afinado. Selina seguía nadando y Juanita estaba en el lavadero, frotando las camisas de George con su barra de jabón y cantando a voz en cuello una canción de amor local, de manera que cuando alguien llamó a la puerta, George no lo oyó.

Fue un golpe muy discreto y apenas audible por sobre el ruido de la máquina de escribir. Unos minutos después, la puerta se abrió y el movimiento atrajo su atención. Levantó la cabeza con las manos suspendidas sobre el teclado.

El hombre de pie allí era joven, alto y muy apuesto. Llevaba un correcto traje de calle, cuello blanco almidonado y corbata. Sin embargo, parecía enloquecedoramente fresco y sereno.

—Lamento molestarlo —dijo—. Pero nadie contestó a mi llamado a la puerta. ¿Esto es Casa Barco?

—Sí, lo es.

—Entonces usted debe de ser George Dyer.

—Sí, lo soy... —Se puso de pie.

—Mi nombre es Rodney Ackland. —Era obvio que sentía que la conversación no debía proseguir sin una especie de reconocimiento ritual. El hombre atravesó la habitación para estrechar la mano de George. —Mucho gusto.

"Mano firme, ojos agudos y directos, muy confiable", pensó George. Y luego, como una ocurrencia tardía indigna: "Un plomo total".

—Tengo entendido que Selina Bruce se encuentra aquí.

—Sí, así es. —Rodney miró alrededor con expresión inquisitiva. —Ahora está nadando.

—Entiendo. Bueno, en ese caso, tal vez convenga que le dé algún tipo de explicación. Soy el abogado de Selina. —George se abstuvo de hacer un comentario. —Y me temo que indirectamente, fue mi culpa que ella hiciera este viaje a San Antonio en primer lugar. Fui yo quien le regaló el libro que usted escribió. Ella vio la fotografía y se convenció de que usted era su padre. Me habló sobre ello; me dijo que quería venir a buscarlo y me sugirió que la acompañara. Por desgracia, estaba obligado a realizar un viaje de negocios a Bournemouth para ver a un cliente muy importante y cuando volví a Londres, Selina se había marchado. Ya había estado fuera tres o cuatro días. Así que, desde luego, tomé el primer avión disponible a San Antonio y bueno... creo que debo llevarla de vuelta. —Se estudiaron mutuamente. Rodney agregó: —Por supuesto, usted no es su padre.

—No, no lo soy. Su padre murió.

—No obstante, el parecido es notable. Hasta yo puedo advertirlo.

—Gerry Dawson era un primo lejano mío.

—¡Qué extraordinaria coincidencia!

—Sí —repuso George—. Extraordinaria.

Por primera vez, Rodney pareció algo turbado.

—Señor Dyer, ignoro las circunstancias de esta... original visita de Selina o cuánto le ha contado ella sobre sí misma. Pero siempre ha tenido un gran deseo... una obsesión, en realidad, con respecto a su padre. Fue criada por su abuela y tuvo una infancia diferente, por decirlo de una manera suave...

—Sí, me lo contó.

—En ese caso, conociendo usted los hechos, estoy seguro de que estamos del mismo lado.

—Sí, supongo que sí. —Sonrió y añadió: —Sin embargo, nada más que por curiosidad, ¿cómo habría reaccionado usted si yo hubiera resultado ser el padre de Selina?

—Bien... —Rodney se quedó sin palabras y perdió el hilo. — Bueno, yo... eh... —Decidió recurrir a una broma y rió con ánimo. —Supongo que lo habría abordado entre el oporto y las nueces y habría solicitado su permiso.

—¿Mi *permiso*?

—Sí. Un poco tarde, por supuesto, porque ya estamos comprometidos. Nos casaremos el mes que viene.

—¿Perdón? —exclamó George, y la palabra misma fue una indicación de su estado mental. No utilizaba la formalidad desde hacía años, desde las fiestas corteses y los bailes de cacería de la época de Bradderford y había creído haberla consignado al olvido. Pero ahí estaba, de vuelta otra vez, brotando de su inconsciente como resultado del estupor.

—Ya estamos comprometidos. Lo sabía, ¿verdad?

—No, no lo sabía.

—¿Quiere decir que Selina no se lo dijo? ¡Qué muchacha extraordinaria!

—¿Por qué diablos iba a decírmelo? No es asunto mío que ella esté o no comprometida.

—No, pero yo diría que es importante. Lo primero sobre lo cual ella hablaría.

"Copetudo engreído", pensó George.

—Pero no viene al caso —prosiguió Rodney—. Ahora que usted está enterado, sé que comprenderá que debo llevarla de regreso a Londres lo antes posible.

—Sí, desde luego.

Rodney pasó junto a George y salió a la terraza.

—¡Qué vista espléndida! ¿Dijo usted que Selina está nadando? No la veo.

George se le unió.

—No, está... eh... más allá del barco. Iré a buscarla... —Y después recordó que no podía, porque ella se había llevado el bote de remos. Y luego recordó que sí podía, porque pediría prestado el bote a Rafael, el primo de Tomeu. —Mire... ¿puede esperar aquí? Tome asiento. Póngase cómodo. No tardaré.

—¿No quiere que lo acompañe? —La pregunta careció de entusiasmo y George respondió:

—No, será mejor que no. El bote está lleno de escamas de pescado y se le arruinaría el traje.

—Bueno, si usted lo dice.... —Y frente a los ojos de George, Rodney empujó una silla de caña al sol y se acomodó en ella con gracia; el vivo retrato de un inglés bien educado en el extranjero.

George arrastró el bote de Rafael, el primo de Tomeu, por la grada y dentro del agua, maldiciendo por lo bajo. Era largo, pesado y difícil de manejar. Además, tenía un solo remo, así que tuvo que cinglar, lo cual hizo con torpeza e irritación, porque Rodney Ackland con su rostro blando y suave y su voz blanda y suave y su traje gris oscuro sin una arruga lo observaba desde la terraza de Casa Barco. Avanzó a través del agua meciéndose, sudando y despotricando, hasta llegar al *Eclipse*. Pero cuando grito el nombre de Selina, no obtuvo respuesta.

Con cierta dificultad, maniobró la pesada embarcación alrededor de la soga de amarre de popa del *Eclipse*, y de inmediato avistó a la muchacha. Estaba sentada como una sirena en una de las rocas en la orilla lejana. Había subido la escalinata de una de las pequeñas aldeas anidadas en los pinos y tenía los brazos alrededor de las rodillas y el cabello húmedo pegado al cuello como la piel de una foca. El bote de Rafael se deslizó debajo de la manga de babor. George dejó el remo pesado, se puso de pie y se llevó las manos a la boca para llamarla de nuevo.

—*¡Selina!* —Sonó como un alarido furioso y ella levantó la cabeza al instante. —Ven, quiero hablar contigo.

Al cabo de unos segundos de vacilación, Selina se puso de pie y bajó los escalones blancos. Entró en el agua y nadó hacia él. Cuando llegó al bote, la regala era demasiado alta para poder treparla, de modo que él tuvo que tomarla de abajo de los brazos. La levantó y la depositó dentro del bote, mojada y chorreando como un pescado recién atrapado. Se sentaron en los dos bancos, uno frente al otro.

—Lo siento —dijo ella—. ¿Querías el bote?

George pensó que cualquier otra mujer habría exigido, antes que nada, una disculpa por el comportamiento de él la noche anterior. Pero Selina no era cualquier otra mujer.

—Espero que no te haya molestado que me lo llevara...

—No, por supuesto que no.

—Dormías cuando bajé. Tuve que abrir la puerta

a Juanita. —La observaba hablar, sin escuchar lo que decía, tratando de resignarse a la desgarrante realidad de que se casaría con Rodney Ackland, que había estado comprometida todo el tiempo, que nunca se lo había dicho. — ... ¿Tu amiga está bien? Espero que no se haya enojado mucho.

—¿Mi amiga? Ah, Frances. No sé si está enojada o no. Regresó a San Antonio anoche. De todos modos no fue tu culpa. Ya se calmará y olvidará todo.

—No debí haber vuelto a Casa Barco. Ahora lo entiendo, pero...

No podía soportarlo más.

—Selina...

Ella frunció el entrecejo.

—¿Pasa algo malo?

—Escucha. Una persona está esperándote en Casa Barco. Ha venido para llevarte de vuelta a Londres. Rodney Ackland.

Selina se quedó paralizada. Sus labios dijeron "Rodney", pero no emitieron sonido.

—Viajó desde Londres anoche. Regresó de Bournemouth y descubrió que habías venido a San Antonio por tu cuenta, así que tomó el primer vuelo disponible. Le dije que no era tu padre y debo admitir que no pareció muy sorprendido. Pero quiere hablar contigo.

La brisa fresca sopló y ella se estremeció. George vio la delgada cadena de oro desaparecer dentro de la parte superior del pequeño bikini que él le había comprado. Pero ahora sabía que lo que colgaba allí no era una cruz de Confirmación. Extendió una mano, tomó la cadena y la levantó para liberarla. El zafiro y los diamantes del anillo de compromiso de Rodney Ackland giraron y se balancearon frente a sus ojos como flechas de luz disparadas desde cada faceta.

—¿Por qué nunca me lo dijiste, Selina?

En ese momento, los ojos de ella parecían casi tan azules como el zafiro que él hacía oscilar debajo de su mentón.

—No lo sé.

—¿Estás comprometida con Rodney? —Ella asintió. —Te casarás con él el mes próximo. —Asintió de nuevo. —¿Por qué tiene que ser todo tan secreto?

—No es secreto. Le hablé a Rodney de ti. Le dije que pensaba que George Dyer era mi padre. Y quería que él viniera conmigo a buscarte. Pero no podía. Tenía negocios que atender en Bournemouth y nunca imaginó que yo vendría sola. Dijo que si tú eras mi padre, mi súbita aparición te incomodaría. Y que en caso contrario, entonces sería una búsqueda inútil. No parecía entender lo importante que era tener raíces y una familia. Pertenecer a alguien.

—¿Hace mucho que lo conoces?

—Desde la niñez. Su estudio se ha ocupado siempre de los asuntos de mi abuela. Ella le tenía mucho aprecio y sé que esperaba que me casara con él.

—Y ahora vas a hacerlo.

—Sí, por lo general terminaba haciendo lo que ella quería. —Los ojos oscuros de George adoptaron de pronto un brillo compasivo y Selina no pudo soportar que sintiera lástima por ella. —Nos mudaremos de Queen's Gate. Encontramos un hermoso departamento en un edificio nuevo. Ojalá pudieras conocerlo. Es muy luminoso y tiene una vista magnífica. Agnes vivirá con nosotros. Incluso he comprado mi vestido de novia. Es blanco y muy largo. Con cola.

—Pero llevas tu anillo de compromiso oculto, ni siquiera en el dedo.

—Pensaba que eras mi padre. Quería presentarme ante ti, por primera vez, como yo misma. Sin pertenecer a otra persona ni a otro estilo de vida.

—¿Estás enamorada de él?

—Ayer te hice a *ti* esa pregunta y no la contestaste.

—Eso era diferente. Estábamos hablando de mi pasado y esto es tu futuro.

—Sí, lo sé. Por eso es tan importante.

George no respondió. Selina se llevó las manos a la nuca y se desabrochó la cadena de oro. El anillo cayó, ella lo atrapó, se lo puso de nuevo en el dedo y se volvió a abrochar la cadena alrededor del cuello. Todas esas acciones fueron pausadas y muy serenas.

—No debo hacer esperar a Rodney —declaró.

—No, por supuesto que no. Usa el bote de remos y yo te seguiré en este gran cajón de madera de Rafael. Pero no te escabullas sin despedirte.

—Jamás haría eso. Sabes que jamás haría eso.

Después de un rato, a Rodney le resultó demasiado caluroso aguardar en la terraza. Podría haberse quitado la chaqueta, pero tenía tiradores y le parecía casi indecente estar sentado de ese modo, así que abandonó la silla de caña y entró en la casa fresca. Estaba merodeando de acá para allá, tratando de comprender su original diseño, cuando Selina, sin ser advertida ni oída, subió los escalones de la terraza y gritó su nombre.

Rodney se detuvo en seco y se volvió. Selina estaba de pie en el vano de la puerta abierta. La miró con incredulidad. No podía creer que una persona pudiera haber cambiado tanto en tan poco tiempo. Siempre la había considerado una mujer monótona: piel clara y cabello claro, sólo realzados por esos ojos azules como los de un gato siamés. Pero ahora estaba muy bronceada y el sol había aclarado su pelo, todavía mojado de nadar. Llevaba un bikini que a los ojos de Rodney rayaba en el mal gusto y, mientras permanecía allí observándolo, la gata blanca y grande que había estado asoleándose en la terraza se acercó y se envolvió con afecto alrededor de sus tobillos desnudos.

El momento estaba cargado de una incomodidad extraña.

—Hola, Rodney —dijo ella entonces—. Qué sorpresa. —Intentó poner un tono animado a su voz, pero no lo logró.

—Sí —respondió él—. Supuse que lo sería. —No era fácil creer que acababa de viajar de Londres, que había pasado la noche sentado vestido y recorrido el camino pedregoso y polvoriento desde el pueblo hacia Casa Barco. Bueno, sí, sus zapatos estaban cubiertos con una ligera capa blanca, pero, por lo contrario, lucía tan impecable como en Londres. Se adelantó para besarla, le apoyó las manos en los hombros y la mantuvo a distancia para enarcar las cejas en un gesto desaprobador hacia el bikini.

—¿Qué es esto que llevas puesto?

Selina se encogió de hombros.

—Es lo único que tengo para nadar. —Había una

vieja bata de toalla de George colgada en la soga de la ropa lavada. Selina fue a buscarla y se la puso. La toalla estaba dura y seca por la sal y el agua y olía a George. Se la ciñó y, por un motivo inexplicable, se sintió reconfortada y fortalecida.

—Hiciste mal en venir sin avisarme —la regañó Rodney—. Podría haber enfermado de preocupación.

—Sabía que estabas en Bournemouth.

—Llamé al departamento no bien regresé a Londres y Agnes me dijo dónde estabas. Por supuesto, tomé el primer vuelo disponible.

—Fue muy amable de tu parte, Rodney.

—¿Qué te parece si volvemos a casa?

—Habría vuelto antes, pero me robaron todo el dinero en el aeropuerto y no podía comprar un billete de regreso.

—Deberías haberme avisado. Te habría mandado algo.

—No... no quería molestarte. Y —agregó en un arranque de honestidad— sabía que me dirías "Te lo dije". Porque tenías razón y yo estaba equivocada. George Dyer no era mi padre... no es mi padre...

—No, ya lo deduje.

—¿Pero entiendes que tenía que averiguarlo? —Estaba pidiendo comprensión y simpatía, pero él no lo entendió.

—Me temo que todavía creo que habría sido mejor que hubieras dejado que yo lo hiciera por ti.

—Pero te pedí que me acompañaras. Quería que vinieras, pero no quisiste.

—No fue porque no quise. No pude. Lo sabes.

—Podrías haber postergado a esa señora no sé cuánto.

220

—¡Selina! —Estaba escandalizado y entonces comprendió, tal vez por primera vez, que los cambios en ella no eran sólo físicos sino más profundos y mucho más sutiles.

Selina respiró hondo.

—De todos modos —continuó—, no me arrepiento de nada. Me alegra haber venido, aun cuando George no sea mi padre. Y si me lo preguntaran, volvería a hacer todo de nuevo.

Era una invitación directa a una batalla, pero antes que Rodney pudiera pensar en una respuesta, George Dyer se les unió. Subió los escalones de la terraza, levantó a Perla en sus brazos e intervino con alegría en la conversación.

—Bueno, ¿no es lindo que se hayan reencontrado? ¿Qué les parece un trago para tranquilizarnos un poco?

—No tomaré un trago, gracias —replicó Rodney con rigidez.

—¿Un cigarrillo, entonces?

—No, ahora no. —Carraspeó. —Le estaba diciendo a Selina que sería una buena idea que volviéramos a Londres lo antes posible. Mi taxi está esperando en el hotel Cala Fuerte. Podemos ir directamente al aeropuerto.

—Buena organización —comentó George.

Rodney le lanzó una mirada rápida para ver si se estaba riendo de él, pero los ojos oscuros permanecían muy solemnes. No del todo convencido, se volvió hacia Selina.

—Tal vez debas empacar. ¿Dónde te alojas?

Hubo un largo silencio. Rodney miró a Selina. Selina miró a George y después a Rodney. George, con gran imperturbabilidad, acarició a Perla.

—Aquí —dijo ella.

Rodney palideció de manera visible.

—¿*Aquí?*

—Sí. Aquí. En Casa Barco.

—¿Has estado *durmiendo* aquí?

—No había otro sitio adonde ir...

Se estremeció ligeramente y George supo que estaba nerviosa. Rodney, sin embargo, no pareció darse cuenta de eso, puesto que habló con voz gélida.

—¿No te pareció un *poquito* fuera de lo convencional?

De improviso, George dejó a Perla en una silla cercana y se metió en la conversación.

—No lo creo. Después de todo, no olvidemos que Selina es sobrina mía.

—Sí, sobrina muy distante. Además, ése no es el punto.

—Entonces, ¿cuál es?

—Bueno, Selina apareció aquí sin ser invitada y sin anunciarse. Era una extraña total y usted le permitió *quedarse*, vivir en esta casa... prácticamente, hasta donde puedo ver, dormir en la misma habitación. Entiendo que usted no tenga que considerar su reputación, pero por el bien de ella, debió haber hecho otro arreglo.

—Tal vez no quisimos hacerlo —aventuró George.

Rodney perdió los estribos.

—Lo siento, señor Dyer, pero es obvio que no hablamos el mismo idioma. Su actitud me resulta intolerable.

—Lo lamento.

—¿Siempre guarda usted tan escasa consideración

por las reglas de comportamiento normales y decentes?

—Sí, siempre. Y no son mis reglas.

Por un instante, Rodney acarició la idea de tumbarlo de un golpe, pero luego decidió que George no merecía su desprecio sino su indiferencia. Se volvió hacia Selina.

—Selina... —Ella se sobresaltó. —Lamento esto, pero te concedo el beneficio de creer que no fue tu culpa. Estoy dispuesto a olvidarlo todo pero debemos asegurarnos de que nada de lo sucedido aquí se sepa jamás en Londres.

Selina lo contemplaba con seriedad. El rostro de Rodney era suave y estaba bien afeitado. No parecía tener arrugas y era imposible imaginarlo envejeciendo, experimentado y con el semblante afable y ajado por el tiempo. Cuando tuviera ochenta, sería igual que ahora, tan impersonal y rígido como una camisa recién traída de la tintorería.

—¿Por qué, Rodney? —preguntó.

—No... no me gustaría que el señor Arthurstone se enterara.

Era una respuesta tan ridícula que Selina tuvo ganas de reír. El señor Arthurstone, con sus rodillas artríticas, que iba a acompañarla en la iglesia... ¿qué diablos tenía que ver ella con el señor Arthurstone?

—Y ahora... —Rodney consultó su reloj. —No hay más tiempo que perder. Vístete y vamos yendo.

Mientras Rodney hablaba, George encendía un cigarrillo. Apagó el fósforo, se quitó el cigarrillo de la boca y terció:

—Ella no puede ir a Londres con usted. Perdió el pasaporte.

—¿*Qué*...?

—Perdió el pasaporte. Ayer. Fue de lo más extraordinario.

—¿Es esto cierto, Selina?

—Oh. Yo... bueno, sí...

George la obligó a callar.

—Por supuesto que es cierto. Mi estimado señor Ackland, no se imagina usted cómo son las cosas aquí. Le robarían el oro de los dientes con tal de conseguir uno.

—Pero tu *pasaporte*. Selina, ¿comprendes lo serio que es?

—Bueno... yo... —balbuceó Selina.

—¿Has informado al Consulado Británico?

—No —repuso George, haciéndose cargo de nuevo—. Pero sí a la Guardia Civil en el aeropuerto. Y fueron muy comprensivos y serviciales.

—Me asombra que no la hayan arrojado directamente a la cárcel.

—A mí también me sorprendió. Pero desde luego, es increíble lo que una linda sonrisa puede lograr, incluso en España.

—¿Pero, ¿qué medidas vamos a tomar?

—Bueno, ya que me lo pregunta, yo sugeriría que usted se subiera a ese taxi, regresara a Londres y dejara a Selina aquí conmigo... No —interrumpió las protestas furiosas de Rodney—, de veras creo que es el mejor plan. Estoy seguro de que usted podrá mover algunas influencias desde Londres y, entre los dos, deberíamos ser capaces de mantenerla fuera de prisión. Y no se preocupe mucho por las convenciones, viejo. Después de todo, es probable que yo sea el pariente más cercano de Selina y estoy bien preparado para asumir la responsabilidad por ella...

—¿Responsabilidad? ¿Usted? —Hizo un último intento con Selina. —No *querrás* quedarte aquí, ¿verdad? —La mera posibilidad casi hizo estallar a Rodney.

—Bueno... —La vacilación de ella fue suficiente para convencerlo.

—¡Me sorprendes! ¡Tu egoísmo me sorprende! Pareces no darte cuenta de que no se trata únicamente de tu buen nombre. ¡Yo también tengo una reputación que mantener y tu actitud me resulta increíble! Me espanta pensar en lo que dirá el señor Arthurstone.

—Pero se lo podrás explicar al señor Arthurstone, Rodney. Sé que podrás hacerlo. Y mientras se lo estés explicando... será mejor que le digas que después de todo no tendrá que acompañarme en la boda. Lo siento muchísimo, pero estoy segura de que en cierta forma es un alivio para ti. Al fin y al cabo, no querrás cargar conmigo, no después de lo que ha sucedido. Y... aquí tienes tu anillo...

Se lo alargó sobre la palma, los diamantes centelleantes y el zafiro azul oscuro que él había imaginado que la unirían a él para siempre. Deseó ser capaz de realizar el gran gesto de tomar el anillo y arrojarlo sobre la pared de la terraza y al mar más allá, pero le había costado mucho dinero, así que se tragó el orgullo y lo aceptó.

—Lo siento, Rodney.

Parecía más digno mantener un silencio noble. Rodney giró sobre sus talones y enfiló hacia la puerta, pero George ya estaba allí y la sostenía abierta para él.

—Qué pena que su visita haya sido tan improductiva. Tiene que volver a Cala Fuerte más hacia fin de año, cuando la actividad es mayor. Estoy seguro de que disfrutaría del esquí de agua, el buceo y la pesca con arpón. Fue amable de su parte haber venido.

—Por favor, señor Dyer, no crea que mis socios o yo permitiremos que usted siga con esto.

—No lo creo ni por un minuto. No dudo de que el señor Arthurstone tendrá ideas brillantes en reserva y que, a su debido tiempo, recibiré una carta severa. ¿Seguro que no quiere que lo lleve al pueblo?

—Gracias, prefiero caminar.

—En fin, *à chacun son goût.* Fue espléndido haberlo conocido. Adiós.

Pero Rodney no contestó, simplemente abandonó la casa en medio de una furia silenciosa. George lo siguió con la mirada por el camino colina arriba y luego cerró la puerta.

Se volvió. Selina todavía estaba de pie en el centro de la habitación, donde Rodney la había dejado. Parecía estar esperando otra escena violenta. Sin embargo, en el más razonable de los tonos, George comentó:

—Deberías hacerte examinar la cabeza por haber pensado alguna vez en casarte con un hombre como ése. Te pasarías la mitad del tiempo cambiándote para cenar y la otra mitad buscando todas esas palabras largas en el diccionario. A propósito, ¿quién es el señor Arthurstone?

—El socio mayoritario del estudio para el que trabaja Rodney. Es muy viejo y tiene artritis en las rodillas.

—¿Y él iba a acompañarte en la iglesia?

—No había nadie más.

Era una confesión desdichada.

—¿Estás hablando del señor Arthurstone o de Rodney?

—De ambos, supongo.

—Tal vez —sugirió George con gentileza—, tal vez sufrías de un serio ataque de obsesión paterna.

—Sí. Quizá sí.

—¿Y ahora?

—Ya no.

Se estremeció de nuevo y él sonrió.

—¿Sabes una cosa, Selina? Nunca hubiera creído cuánto se puede aprender sobre otra persona en un tiempo tan ridículamente corto. Por ejemplo, sé que cuando mientes, lo cual por desgracia es bastante frecuente, tus ojos se abren tanto y se vuelven tan grandes que tus pupilas azules quedan rodeadas casi por completo de blanco. Como islas. Y cuando tratas de no reírte de alguna cosa extravagante que he dicho, frunces las comisuras de la boca y se te forma un hoyuelo inesperado. Y cuando estás nerviosa, te estremeces. Ahora estás nerviosa.

—No estoy nerviosa. Nadar me dio frío.

—Entonces ve y ponte algo de ropa.

—Pero primero debo decirte algo.

—Puede esperar. Ahora ve y vístete.

Salió a la terraza a esperarla y encendió un cigarrillo. El sol calentaba sus hombros y ardía a través del algodón fino de su camisa. Rodney Ackland se había ido, lejos de Casa Barco, fuera de la vida de Selina. Del mismo modo en que se había ido Jenny; su fantasma por fin conjurado, el lamentable asunto exorcizado para siempre por el simple acto de habérselo contado a Selina. Jenny y Rodney pertenecían ahora al pasado, el presente era alegre y bueno y el futuro se extendía tan esperanzado y lleno de agradables sorpresas como un paquete de Navidad.

Debajo, en el jardín, Juanita descolgaba las sábanas de la soga. Todavía cantaba para sí con felicidad; al parecer, ajena al drama que había tenido lugar mientras ella se ocupaba del lavado matinal. George experimentó una súbita oleada de afecto por ella. Nadie sabía mejor que él que su propio camino personal al infierno había estado siempre pavimentado de buenas intenciones, pero ahora se prometió que cuando se publicara el libro nuevo le regalaría no sólo un ejemplar para que lo pusiera sobre una carpetita de encaje, sino algo más. Algo que ella ansiara con intensidad, que jamás podría comprarse por sus propios medios. Un vestido de seda o una joya o una buena cocina de gas nueva.

Los pasos de Selina detrás lo hicieron volverse. Llevaba un vestido de lino sin mangas color damasco y sandalias de taco bajo que la hacían casi tan alta como él. George se asombró de que le hubiera tomado tanto tiempo darse cuenta de que era hermosa.

—Es la primera vez que te veo vestida de manera adecuada —comentó—. Me alegra que hayas recuperado tu equipaje.

Selina respiró hondo.

—George, tengo que hablar contigo.

—¿Sobre qué?

—Sobre mi pasaporte.

—¿Qué hay con tu pasaporte?

—Bueno. Verás. No lo perdí.

George se sobresaltó y frunció el entrecejo con enorme sorpresa.

—*¿No?*

—No. Verás... bueno, ayer por la tarde, antes de irme con Pepe... lo escondí.

—Selina. —Parecía muy conmocionado. —¿Por qué hiciste una cosa tan terrible?

—Sé que fue terrible, pero no quería irme. No deseaba dejarte con la señora Dongen. Sabía que ella no quería que escribieras ese segundo libro. Quería que fueras a Australia o al desierto de Gobi o algún lugar parecido. Con ella. Así que cuando fui a la cocina a sacar la soda de la heladera... —Tragó saliva. —Escondí mi pasaporte en el tarro del pan.

—¡Qué ocurrencia tan extraordinaria!

—Sí, lo sé. Pero sólo pensaba en ti, y lo que intento decir es que ahora no hay motivo para que no vuelva a Londres con Rodney. No me casaré con él, por supuesto. Ahora comprendo lo estúpida que fui al siquiera imaginar que podía hacerlo. Pero no puedo quedarme aquí indefinidamente. —Su voz comenzó a apagarse. George no estaba ayudando en lo más mínimo. —Lo entiendes, ¿verdad?

—Bueno, desde luego que sí. —Adoptó la expresión de un hombre capaz de cualquier cosa con tal de comportarse con honradez. —Y debemos hacer lo correcto.

—Sí... sí. Eso es lo que pensé.

—Bien —prosiguió él con ánimo y consultó su reloj—. Si vas a irte con Rodney, será mejor que te apures. De lo contrario, estará en el taxi y camino al aeropuerto antes que tú hayas llegado al hotel Cala Fuerte...

Y frente a los ojos incrédulos de Selina, se puso de pie, se limpió el polvo blanco del trasero de sus vaqueros y al minuto siguiente, estaba sentado de nuevo ante la máquina de escribir, trabajando como si su vida dependiera de ello.

No era exactamente la reacción que ella había esperado. Aguardó a que él se detuviera aunque más no fuera un momento, pero no lo hizo, de modo que, tratando de tragar el nudo en su garganta y de contener el ardor sospechoso de lágrimas en sus ojos, Selina fue a la cocina. Tomó el tarro del pan y lo vació, hogaza por hogaza, sobre el mostrador. Luego quitó el papel debajo del cual había deslizado el pasaporte.

No estaba allí. Lágrimas, desilusión, todo se ahogó en una ola de pánico total. El pasaporte se había perdido de veras.

—¡George! —Estaba mecanografiando con tanta fuerza que no la oyó.

—George, per... *perdí mi pasaporte.*

George paró de escribir y enarcó cejas corteses.

—¿De nuevo?

—¡No está aquí! ¡Lo puse en el fondo y no está! ¡Lo perdí!

—¡Santo Dios! —exclamó él.

—¿Qué pudo haber pasado? —La voz se elevó a un gemido. —¿Lo habrá encontrado Juanita? Tal vez limpió el tarro y lo quemó. ¡O lo tiró! Quizá lo robaron. ¿Oh, qué ocurrirá conmigo?

—No quiero ni imaginarlo...

—¡Ojalá nunca lo hubiera puesto allí!

—Has caído en tu propia trampa —manifestó él con tono santurrón y retomó su tarea.

Finalmente, Selina empezó a sospechar y frunció

el entrecejo. George se estaba comportando con una calma anormal. Y tenía un destello en sus ojos oscuros en el que ella había aprendido a no confiar. ¿Habría encontrado el pasaporte? ¿Lo habría descubierto y ocultado sin decirle nada? Dejó el tarro de pan vacío y se movió alrededor de la habitación en busca de indicios. Levantó la punta de una revista y espió detrás de un almohadón como una niña jugando.

Terminó a espaldas de él. Tenía puestos sus vaqueros gastados y manchados de sal y el bolsillo trasero en la cadera derecha estaba curiosamente cuadrado y rígido, como si contuviera un librito o una tarjeta grande... George seguía mecanografiando a toda máquina, pero cuando ella extendió una mano para investigar el bolsillo, una de las de él dio la vuelta y se la apartó.

El pánico desapareció. Selina rió con alivio, feliz, enamorada. Le rodeó el cuello con los brazos y casi lo estranguló con su abrazo.

—¡Lo tienes! —exclamó—. ¡Lo encontraste! ¡Lo tuviste todo el tiempo, malvado!

—¿Quieres que te lo devuelva?

—No a menos que quieras que vaya a Londres con Rodney.

—No quiero —afirmó George.

Ella lo besó y frotó su mejilla suave contra la mejilla áspera y cerdosa. No era lisa ni estaba perfumada con loción para después de afeitarse, sino arrugada, bronceada por el sol y marcada por el tiempo, tan gastada y familiar como las camisas de algodón sin planchar que él solía usar.

—Yo tampoco quiero irme —confesó.

George había mecanografiado una página entera.

Selina le apoyó el mentón sobre lo alto de la cabeza y preguntó:

—¿Qué estás escribiendo?

—Una sinopsis.

—¿Para el libro nuevo? ¿De qué trata?

—Del crucero por el Egeo.

—¿Cómo se llamará?

—No tengo la menor idea, pero te lo dedicaré.

—¿Será bueno?

—Eso espero. Pero de hecho, ya tengo una idea para un tercer libro. Esta vez una novela... —Le tomó la mano para que diera la vuelta y se sentara en el borde del escritorio, frente a él. —Pensé que podría tratarse sobre un tipo que vive en un lugar pequeño y tranquilo, que no mata ni una mosca y no se mete con nadie. Y entonces aparece una mujerzuela. Tiene una obsesión con él y no lo deja en paz. Lo aparta de sus amigos, gasta todo su dinero y lo arrastra a la bebida. El hombre se convierte en un vago, en un paria social.

—¿Qué ocurre al final?

—Se casa con ella, por supuesto. Ella lo obliga con un engaño. No hay escape. Es trágico.

—A mí no me parece trágico.

—Bueno, debería.

—George, por casualidad, ¿me estás pidiendo que me case contigo?

—Supongo que a mi manera retorcida y engañosa, sí. Lamento lo de anoche. Y te amo.

—Lo sé. —Se inclinó para besarle la boca. —Y me alegra que lo hagas. —Lo besó de nuevo y él quitó la máquina de escribir de en medio y se puso de pie para tomarla en sus brazos. Más tarde, Selina comentó: —Tendremos que avisarle a Agnes.

—¿Crees que vendrá y tratará de arruinarlo todo?

—Por supuesto que no. Te adorará.

—Tendremos que enviarle un telegrama. Desde San Antonio. Esta tarde, si queremos que llegue antes que Rodney Ackland. Y mientras estemos en el pueblo, presentaremos nuestros respetos al padre inglés y averiguaremos cuánta demora hay. Y le pediremos a Rudolfo que sea mi padrino...

—Ojalá Juanita acepte ser mi dama de honor.

Juanita. Habían olvidado a Juanita. Ahora, todavía riendo y de la mano, salieron a buscarla. Se inclinaron sobre la pared de la terraza y gritaron su nombre. Pero Juanita no era tan simple como a veces parecía. Sus instintos campesinos rara vez le fallaban y ya estaba subiendo desde el jardín, erguida como siempre, sonriendo con alegría y los brazos extendidos como para abrazarlos a ambos.

Anne Rivers Siddons

Veranos Apacibles

Una anciana pasa el verano en un colonia de vacaciones rememorando los tiempos idos. En un intento por preservar el espíritu de las generaciones pasadas, transfiere el legado de su memoria a su frágil nieta. La nueva novela de la autora de *Reencuentro* es un retrato poderoso y cautivante sobre las complejas relaciones entre mujeres poco comunes.

Rosamunde Pilcher

Flores en la Lluvia

Una muchacha a punto de casarse recibe un consejo poco ortodoxo. Un niño pequeño debe hacerse cargo de su casa. Un joven esposo trata de combinar los placeres del matrimonio con las comodidades de la vida de soltero. *Rosamunde Pilcher* explora los sentimientos de gente común con percepción y agudeza extraordinarias.

LaVyrle Spencer

Hacerse querer

Ansiosa por escapar de su sórdida existencia en Boston, Anna acepta convertirse en novia por correspondencia de Karl, un adinerado granjero. Él esperaba una muchacha de veinticinco años, experta ama de casa, dispuesta al trabajo rural y... virgen. Karl deberá perdonar a Anna todas sus mentiras. Pero hay un secreto que ella aún le oculta a fin de preservar el amor incipiente...

Diana Gabaldon

Forastera

Cuando Claire se acerca a un círculo de piedras antiquísimas cae en un extraño trance. Al volver en sí está en 1743, en la Escocia de los clanes, y deberá elegir entre el futuro que abandonó y el pasado que ahora habita. Una novela singular que conjuga historia, romance e imaginación.